RENA

Schw
drei

Buch

Eine junge türkische Frau liegt in einem deutschen Krankenhaus und wartet auf die Geburt ihres ersten Kindes. Während der langen, bangen Wartestunden im Kreißsaal durchgeht sie die Stationen ihres Lebens. Sie erinnert sich an die Kindheit in dem kleinen anatolischen Dorf, an die strenggläubigen mohammedanischen Großeltern und Verwandten, an die Ankunft in Deutschland, an den Garten, in dem Spielen verboten war, an das erste Schützenfest im Dorf, an Nachbarn, Freunde und Lehrer, die erste Liebe und an das Gefühl des Verrats, als sie erstmals ihre Familie verließ.

Es ist eine türkisch-deutsche Jugend, und das bedeutet die Zerreißprobe zwischen den entwurzelten Eltern, die von der Heimat nicht loskommen, und den eigenen Wünschen, die sich bei allen Verletzungen und Ausgrenzungen durch Nachbarn oder Lehrer auf das Hier und Jetzt in Deutschland beziehen.

Die anekdotenreiche, mit Humor und Einfühlungsvermögen geschriebene Erinnerungsreise der Schauspielerin Renan Demirkan ist gleichzeitig eine exemplarische Beschreibung von vier Generationen einer Einwandererfamilie: der Generation der in der Türkei zurückgebliebenen Großeltern, der Generation der zwischen Heimat und Gegenwart zerrissenen Eltern, der Generation der Kinder, die hineinwachsen in das neue Land, und der vierten Generation, die bereits in die neue Wirklichkeit hineingeboren wird.

Autorin

Renan Demirkan, geboren 1955 in Ankara, Kindheit und Schulzeit in Deutschland. Seit Anfang der achtziger Jahre arbeitet sie als Schauspielerin für Theater, Film und Fernsehen. Sie wurde mit dem NRW-Förderpreis, der Goldenen Kamera und dem Grimme-Preis ausgezeichnet. Außer dem vorliegenden Band ist von ihr als Goldmann-Taschenbuch erschienen:

Die Frau mit Bart. Eine Erzählung (43062)

Renan Demirkan

Schwarzer Tee mit drei Stück Zucker

GOLDMANN

Umwelthinweis:
Alle bedruckten Materialien dieses Taschenbuches
sind chlorfrei und umweltschonend.

Der Goldmann Verlag
ist ein Unternehmen der Verlagsgruppe Bertelsmann

Genehmigte Taschenbuchausgabe 3/93
© 1991 by Verlag Kiepenheuer & Witsch, Köln
Alle Rechte vorbehalten
Umschlaggestaltung: Design Team München
Umschlagfoto: Mechtild Holter
Druck: Elsnerdruck, Berlin
Verlagsnummer: 41309
AR/MV · Herstellung: Heidrun Nawrot/sc
Made in Germany
ISBN 3-442-41309-5

9 10 8

Für Ayşe

Ein Juli-Sonntag im Kreißsaal einer Kinderklinik in Köln, 8.05 Uhr. Die Frau wischt sich mit beiden Händen Schweiß und Tränen aus dem Gesicht. Es ist still. Ab und zu ein Rascheln vom Bettlaken, wenn sie die Beine anzieht oder ausstreckt, hie und da ein Schnaufen aus der anderen Ecke des Raumes.

»Sectio caesaria, ganz eindeutig placenta previa. Machen Sie gleich ein EKG, Schwester. Wir werden morgen um 10 Uhr operieren«, hatte gestern der Chefarzt gesagt.

Die stämmige Nachtschwester beugte sich über die vom Schlaf betäubte Frau und rüttelte unermüdlich mit kurzen, muskulösen Armen: »Aufwachen! Wachen Sie auf!« Sie rüttelte routiniert, ohne Mitgefühl. »Aufwachen! Nun machen Sie schon!« schallte es im sterilen Zweibettzimmer. »Die Arme sollen dir abbrechen!« dachte die Schwangere. Die

Vorhänge wurden mit einem Griff von der Mitte aus zu den Seiten geschleudert, das große Fenster gekippt. Quietschende Schritte, der Druck der rechten Hand war noch fester geworden: »Stehen Sie doch endlich auf!« Es rüttelte noch heftiger. »Die Finger sollen dir abfallen!« schäumte es im Kopf der Frau.

Aufwachen, jeden Morgen eine endlose Prozedur, eine widerwillig erfüllte Pflichtübung. Der Beginn des Tages, das Ungewisse, dieses fahle Dämmerungsgrau, war für sie die eigentliche Geisterstunde. Hier lauerten konturenlose Möglichkeiten und zahllose Unwägbarkeiten. Ein Schattenkabinett gesichtsloser Gestalten beim Roulette der Interessen. Schon als Säugling, erzählte die Mutter, schlief sie erst dann ein, wenn sie sicher war, jetzt hat die Nacht den Tag endgültig abgelöst, und wäre auch damals schon erst wieder gegen Mittag des nächsten Tages zu ertragen gewesen.

Überhaupt empfand sie die Einteilung des Lebens nach Uhr und Dienstplan als einen nicht zulässigen Eingriff in ihre Selbstbestimmung.
Aber die Nachtschwester mit den grauen, kurzge-

schnittenen Haaren und den rotunterlaufenen Augen ließ sich von den Bedürfnissen der Patientin nicht aufhalten und rüttelte wieder: »Aufwachen! Fertigmachen zum Rasieren!« – »Die Lippen sollen dir...«, zischte die Schwangere, und plötzlich saß sie wach und wutschnaubend in ihrem verschwitzten Bett.

Das andere Bett war schon gemacht. Die Zimmernachbarin saß im Säuglingszimmer, um ihren zwei Tage alten Jungen zu stillen.

Draußen klapperten die Schwestern mit den Frühstückswagen. Ein braunes Tablett mit weißem Krankenhausgeschirr und etwas Eßbarem wurde auf den gegenüberliegenden Nachttisch gestellt. Aus dem Flur zog der beißende Geruch eines kaffeeartigen Gebräus durch das Zimmer zum geöffneten Fenster hinaus. Träge rutschte sie aus dem Bett in die Gesundheitslatschen, schleppte sich zum Bad, den Morgenmantel hinter sich herziehend. Kaltes Wasser ins Gesicht, über Hals und Arme, aber es kühlte nicht. Sie stellte sich unter die Dusche.

»Sind Sie soweit?« klopfte es. Das war nicht die Stimme des Rütteldragoners. Diese klang weicher, jünger. Wortlos zog sie das weiße OP-Hemd über. Es klebte an der nassen Haut. »Sie verkühlen sich ja.« Die neue Krankenschwester hängte ihr den

Morgenmantel über die Schultern. Ihr Lächeln und die Fürsorge waren noch nicht routiniert. Sie warf ihren langen, blonden Zopf nach hinten und ging ihr voraus. Vorbei an den putzenden Frauen, an den Frühstückswagen mit altem Brot, abgepackter Wurst und Käse, vorbei an dem großen Fenster, vor dem müde Mütter in gestreiften und geblümten Nachthemden zusahen, wie ihre Kinder gewaschen wurden. Morgen würde auch sie hier stehen und den krebsrot schreienden Winzlingen mit Bauchbinde zusehen. Bis auf ihr Geschlecht waren sie kaum voneinander zu unterscheiden: aufgerissene Münder, festgeschlossene Fäuste, kahle Köpfe und etwas größer als zwei Handspannen. »Hoffentlich verwechseln die mein Baby nicht«, dachte sie. Die junge Schwester forderte zum Weitergehen auf. Durch den neonbeleuchteten Flur, an dem Fahrstuhl vorbei, durch eine Glastür in einen kühlen Raum auf der linken Seite des nächsten Ganges. »Figaro! Figaro! Figarooo!« witzelte die schlanke junge Frau und schüttelte eine Rasierschaumdose. »Immer noch mit FCKW. Na dann wollen wir mal. Ein Männlein oder Weiblein wünscht Papagena sich...«, sang sie, während ihre Hand sorgfältig den Einwegrasierer über die untere Bauchhälfte und die Schamhaare zog. »Hokus Pokus Fidibus, die Haare verschwinden im Abguß! Sie sind doch Schauspielerin, nicht! Ich habe Sie in ›Leben ein Traum‹ gesehen. Ein tolles Stück, aber schlecht besucht, nicht?« – »Nicht gut genug«, antwortete die Schwangere. Die Schwester schloß die graue Tür und ging wieder voran. Auch ihr war heiß. Sie wedelte sich mit dem Krankenbericht Wind ins Gesicht. Zurück durch die Glastür, am Fahrstuhl vorbei, um die Ecke dem Pfeil »Kreißsaal« folgend, zur breiten Tür aus Milchglas. »Sesam öffne Dich! Nur noch durch die grüne Tür, und Sie können sich wieder hinlegen. Toi, toi, toi!«

Zu plötzlich war sie aus dem morgendlichen Dösen herausgerissen worden. Sie wollte sich ganz allmählich, behutsam in die Situation einfinden, den lähmenden Schock der gestrigen Diagnose ausatmen. Statt dessen taumelte sie den Ereignissen hypnotisiert hinterher. Sie versuchte sich zu konzentrieren auf den – wie man sagt – das Leben verändernden Eingriff, auf die Trennung nach vierzig Wochen. Aber die wichtigste Veränderung für sie hatte schon vor zehn Monaten begonnen: Sie war endlich bereit gewesen, Verantwortung zu tragen – vor allem für sich selbst. Ein starkes, gleichzeitig helles, leichtes Gefühl, doch nicht austauschbar und überflüssig zu sein. Zum ersten Mal fühlte sie sich zugehörig, »normal«, normal wie all die, die mit überzeugender Selbstverständlichkeit ihren Platz in dieser Welt benennen konnten und ihr durch ihr Selbstbewußtsein imponierten. Selbst wenn die Eltern ihren Entschluß nicht akzeptieren wollten, sie fühlte sich zum ersten Mal wichtig, wichtig für das Leben eines Wesens, das sie vierzig Wochen lang in sich gehütet, gepflegt und versorgt hatte. So, als ob sie ständig neben sich selbst gestanden und die Frau mit dem Kind wie Patienten einer Intensivstation beobachtet hätte. Wie zwei ihr anvertraute Freunde, auf die sie aufzupassen hatte, aufzupassen wie damals auf ihre jüngere Schwester, wenn Vater und Mutter mit den Worten das Haus verließen: »Paß auf, daß ihr nichts passiert!« Eine Aufgabe, der sie nicht gewachsen war, aber sie hatte genickt, ohne zu verstehen, wie tief sich Pflichtgefühle festkrallen können. Sie selber war erst neun Jahre alt gewesen. »Die ist ja so vernünftig«, hatte man sie gelobt. Aber in Wirklichkeit war sie noch ein Kind gewesen. Ein ganz »normales« Kind wie die Nachbarskinder auch, nur etwas ernster. Sie hatte kaum gelacht. So sollte ihre Tochter nicht werden, bitte nicht! Sie soll heiter, frech, neugierig sein, bloß nicht *vernünftig!*

8.08 Uhr. Wieder versucht die Frau, sich das Gesicht trockenzuwischen, aber auch die Hände sind naß vom Schweiß. Es schmeckt salzig. Sie schmatzt und leckt sich abwechselnd die linke und die rechte Hand, bis es nur nach Haut schmeckt: »Ist doch auch ein Frühstück«, flüstert sie, die Tränen ins Kissen wischend. Sie ist dreißig Jahre alt, hat schwarzes, schulterlanges Haar, Sommersprossen und ein Muttermal rechts auf der Oberlippe.

»Denken Sie positiv«, hatte der Hausarzt gesagt. »Ihr Kind fühlt alles mit.« In der Türkei rät man schwangeren Frauen, schöne Menschen anzuschauen. Also hatte sie alle Modezeitschriften gekauft und tagelang zwischen den wunderschön fotografierten Mannequins und den edlen Kostbarkeiten hin- und hergeblättert. Diese ewig jungen Werbefeen waren so ebenmäßig, so gut und groß gewachsen, wie sie als Teenager immer hatte sein wollen. Sie wollte aussehen wie die anderen, nicht herausfallen, wollte wie die hüpfenden, kichernden Mädchen sein, in deren Mädchencliquen sie sich hineinwünschte. Doch sie wurde in keine aufgenommen. Manchmal durfte sie sie für ein paar Tage besuchen. So lernte sie, bedingt durch die häufigen Umzüge der Eltern, die verschiedensten

Cliquen kennen, aber alle hatten sie eines gemeinsam: Sie waren verschworene Gemeinden von Gleichgesinnten mit gleicher Geschichte und gleichen Geheimnissen. Und das tat am meisten weh, nicht teilnehmen zu dürfen an ihren Geheimnissen. »Sie mißtrauen dir«, dachte sie. Deutsche Sprichwörter fielen ihr ein: Jeder ist sich selbst der Nächste. Wie der Herr, so das Gescherr.

Ihre Eltern hatten ja auch keine Freunde. Sie hatten sie zurückgelassen, als sie sich damals entschlossen hatten, ihre Wohnung aufzulösen, die Möbel zu verkaufen oder zu verschenken, die Wäsche, das Geschirr, die Bücher, die Bilder, kurz alles, was ein vierköpfiger Haushalt braucht, vom Scheuertuch bis zur Deckenlampe. Damals hatten sie nicht nur ihre Freunde, Nachbarn, Verwandten und Kollegen verlassen, sie verließen Gerüche und Düfte, die zu jeder Tageszeit aus den offenen Wohnzimmer- und Küchenfenstern strömten und in den überfüllten Taxen und Minibussen in der Luft hingen. Das Gewirr der Töne aus Huporgien und Bazargeschrei, aus den Rufen der zahllosen Wasserverkäufer und Lumpensammler, der Imame von unzähligen Minaretten und den verkrüppelten Bettlern, den barfüßigen Schuhputzern und Zeitungsjungen. Sie verließen unbeschreibbare Sonnenauf- und

-untergänge, die unerträgliche Mittagshitze, in der sich das schäbigste Dorf in einen goldenen Palast verwandelte, das Licht in den Teehäusern, wo die alten Männer sich bei Tavla und schwarzem Tee mit drei Stück Zucker ihre Sorgen teilten. Sie verließen Wortspielereien und Gesten, über die ganze Abende durchgelacht wurde. Mitgenommen haben sie sieben Koffer, gefüllt mit warmer Kleidung, mit Zeugnissen, Fotos und ein paar Gewürzen.

Trotz der guten Position des Vaters als staatlicher Ingenieur konnte er die Familie nicht mehr ernähren. Die Mißwirtschaft des korrupten Staatspräsidenten, die hohe Inflationsrate, die unbezahlbar gewordenen Preise für Mehl, Butter, Fleisch, Schuhe und Bekleidung zwangen ihn, für seine Frau und die bald schulpflichtigen Mädchen ein besseres Leben zu suchen.

Ihre Reise ins Leben begann mit dem Abschied vom Vater. Flüchtig küßte er seine Frau, die mit geschwollenen Augen stumm an ihrem Taschentuch zerrte. Die verdutzten Kinder krallten sich an seinen Hosenbeinen fest, sie verstanden seine stille Umarmung nicht. Er sah durch das kaputte Glasdach des Bahnhofs zum Himmel, der sich an diesem Spätsommertag noch einmal zu einem gewaltigen Blau ausgestreckt hatte. »Als ich noch ein

Kind war, erzählte mir mein Vater, Europa sei dort, wohin die großen Züge fahren. Und ich dachte, Europa muß ein großer Bahnhof sein, eine Art Endstation.« Mit einer ruckartigen Bewegung hatte er sich die Augen gewischt: »In einem Jahr habe ich das Nötigste vorbereitet. In einem Jahr!« schrie er in den Lärm der dampfenden Lokomotive.

Drei Tage und zwei Nächte dauerte die Fahrt in dem stinkenden, überfüllten Liegeabteil. Den weißen Anzug und den weißen Hut hatte er gleich zu Beginn gewechselt. Je farbloser die Landschaft wurde, je mehr graue Wolken die Sonne verdeckten, je weiter er sich von den Augen der Zurückgelassenen entfernte, desto hilfloser und verzweifelter hetzte er durch die Gänge, bis er, endgültig geistesabwesend, die Notbremse zog. Die Strafe zahlte er gleich, aber er blieb den Rest der Fahrt im Abteil, versteckt vor den vorwurfsvollen Blicken der Mitreisenden.

Das Ankunftsfoto der Nachgereisten zeigte ein Jahr später in der Mitte die Mutter mit unsicherem Gesichtsausdruck in schlichter, selbstgenähter heller Bluse. Rechts und links von ihr die beiden Töchter in ebenfalls von ihr selbstangefertigten, roten Kleidern. Die jüngere mit staunendem, wachem Blick, schmal und blaß mit melancholischen

Augen und schwarzem Pagenkopf die ältere. Vorsichtig folgten sie dem Vater durch die breiten staubfreien Straßen, entlang den gepflegten Häusern mit Balkonblumen, den eingezeichneten Parkplätzen und den Abfallkörben an jeder zweiten Laterne. »Wie schön«, staunte die Mutter mit offenem Mund, als ein quietschendes Auto sie erschreckte. »Du nix sehen? Ampel rot!« brüllte ein Gesicht aus dem heruntergedrehten Fenster.

Die beiden Mädchen waren fasziniert von den großen Menschen, die in kleinen Gruppen Hand in Hand oder eingehakt ihren Weg gingen. Wie Elefanten, den Rüssel mit dem Schwanz verbunden, die Jungen zwischen sich verkeilt. Sie dagegen kamen aus dem Land der Ziegen, die, wenn auch in Herden zusammengehalten, einzeln auf Futtersuche gingen.

Die Schwestern streichelten den grünen, gleichmäßig geschnittenen Rasen des Zweifamilienhauses mit den Händen. Das rote, dreieckige Schild mit weißen Buchstaben verbot Betreten und Ballspielen. Um den Vorstadtgarten zu schonen, verlegten sie ihre Spiele in die Zweizimmerwohnung im ersten Stock. Dem ungewohnten Lärm im Haus der kinderlosen Besitzer folgte nach drei Monaten die fristlose Kündigung.

Ein paar Tage vor dem Umzug schlichen sich die

beiden Mädchen auf Zehenspitzen durch Treppenhaus und Garten auf die andere Straßenseite in das
Wartehäuschen der Bushaltestelle und kramten
Malblock und Buntstifte aus der Plastiktüte. Jede
für sich malte noch einmal das Haus mit den Balkonblumen. Aus den Fenstern und Türen machten
sie rot eingefaßte, runde, drei- oder achteckige
Verkehrsschilder, an den Schornstein hängte die
Jüngere bunte Luftballons, die Ältere pflanzte
einen Maulbeerbaum auf den gleichmäßig geschnittenen Rasen.

Die neue Wohnung war ein Altbau mit dicken
Mauern und einem großen wilden Garten, eins von
drei Gebäuden am Ende eines Dorfes mit 250 Ein-
wohnern. Fünfzig Meter rechts lag ein kleiner
Bahnhof mit rot-weiß-gestreiften Schranken. Gegenüber ein flacher Bau hinter Bäumen versteckt.

Dort lebten sie zurückgezogen. Die Kinder versuchten, ihre Eltern nicht zu enttäuschen, brachten
gute Noten nach Hause, waren »ordentlich« und
»vernünftig«. Besonders die Ältere, die bereits auf
ihre Schwester aufpaßte, das Mittagessen auf-
wärmte und die Jüngere zu den Schulaufgaben an-
hielt, während die Eltern für das neue teure Leben
Geld verdienten.

Hier gab es Arbeit, also arbeiteten sie mit dem
Vorsatz, nach dem Schulabschluß der Kinder wie-

der in ihre Heimat zurückzukehren. Sie lebten in einfachen Verhältnissen, ohne Ausschweifungen, ruhig und höflich. Dieses Leben in der Enklave muß einige Beobachter irritiert haben. Denn trotz alledem waren sie für viele Einheimische »Knoblauchfresser« und »Kümmeltürken«. In die Geheimnisse der anderen Mädchen wurde sie nicht eingeweiht. Ihre Eltern waren »Ausländer«, demzufolge auch sie und ihre Schwester. Wie der Herr, so das Gescherr. Jeder ist sich selbst der Nächste. Schuster bleib bei deinen Leisten. Wer anderen eine Grube gräbt, fällt selbst hinein...

Der Arzt fiel ihr wieder ein: »Versuchen Sie, positiv zu denken!« Sie las die Klatschspalten in den diversen Journalen. Es amüsierte sie, wer mit wem, wo, wie und wann. Welcher Ball zu wessen Ehren besucht wurde. Alle sahen so wohlgenährt, ausgeruht und charmant aus. Alle lächelten sie in die Kameras. Ihre gebräunten, schön geschminkten Gesichter wurden durch noch schöner gestylte Frisuren und noch, noch schöner geschnittene Gewänder und die sehr, sehr schön eingefaßten Perlen, Juwelen und Diamanten ergänzt. Allesamt sahen sie rundum glücklich aus. Es mußte wahrhaft eine Freude sein, diesen Ehrenball des Fürstenpaares mitrollen zu dürfen. »Vielleicht wirst du ja auch einmal eine Prinzessin, meine kleine Astronautin«, sagte sie. Die Erinnerung an das Vogelgezwitscher, die strahlende Sonne und den azurblauen Himmel über dem kleinen Garten des Reihenhauses animierte sie, weiter zu träumen. »Stell dir vor, ich gewinne im Lotto und kauf' uns ein Schloß. Dann kriegst du Ballettunterricht und einen Klavierlehrer. Später dann darfst du in eines der besten Internate der Welt gehen, irgendwo in der Nähe von London. Da laufen die reichsten Kinder der Welt in grauen Kitteln und weißen Blusen herum. Da wird dir dann beigebracht, wie man sich benimmt, um angenehm aufzufallen. Da hörst du nichts von Hunger, Krieg oder Naturkatastrophen, da lernst du leise sprechen, gerade sitzen und mit Geld umgehen. Überhaupt sollte es nur Prinzessinnen und Prinzen geben, und alle wohnten in Burgen und Schlössern und könnten sich den Musen hingeben, könnten malen, lesen, dichten und singen. Alle wären gut zueinander und würden viele Spendenbälle für kranke Kinder, Alte, für den Artenschutz, das Rote Kreuz und andere gute Zwecke veranstalten.«

8.14 Uhr. »Selbst meine Großmutter hat es geschafft. Ich weiß nicht einmal wie oft. Fünf ihrer Kinder haben überlebt. Sie sagte: »Allah ist mächtig. Er gibt, und er nimmt«, dabei nickte sie demütig und kontrollierte ihr weißes Kopftuch. Es war ein weiches, durchsichtiges Baumwolltuch mit einem schmalen Spitzenrand, den sie selbst häkelte. Ich habe es ihr oft weggenommen, weil es so gut roch. Es roch nach ihren grauen Haaren. Es roch nach Oma. Als ich es dann über den Kopf zog und »Braut« spielte, lächelte sie, wie nur Omas lächeln können. Sie war eine fromme Frau. Ihr halbes Leben hat sie krank im Bett gelegen, aber sie sagte: »Kismet. Mit Allahs Hilfe ist es immer weitergegangen.« Die Frau betrachtet ihre Schicksalslinie in der rechten Hand. Sie beginnt unsichtbar zwischen den feinen Falten in der durchsichtigen Haut am Gelenk, drückt sich tiefer hinein in der Mitte und verliert sich in die etwas dickere Haut des Mittelfingers. Langsam führt sie die Hand zu den Augen, bis die einzelnen Linien in einer gelblichen Fläche verschwimmen.

Die schmale, staubige Straße durchzog die Salzwüste wie eine Schneckenspur von West nach Ost. Die Hitze bewegte sich in Wellen über dem ausgedörrten, rissigen Boden. Aus der Ferne sah es aus wie ein endloses Meer, bläulich und kühl, aber der See war schon längst ausgetrocknet.

Es sollte ein kleiner Abstecher von Ankara nach Göreme in Zentral-Anatolien werden. Ein kurzer Ausflug zu den spitzen Felsen, in die vor Urzeiten Menschen ihre Höhlen eingemeißelt hatten. Völlig zusammenhangslos und unwirklich standen die meterhohen Steine in einer karstigen, unfruchtbaren Gegend, als ob irgendwelche Riesen »Mensch ärgere Dich nicht« gespielt und die Figuren dann einfach stehengelassen hätten. Am Nachmittag wollte sie wieder zurück sein, aber sie verlor dort jedes Gefühl für Raum und Zeit und blieb über Nacht in der kleinen Holzhütte, vollgestopft mit Souvenirs für Touristen, die von einem Geschwisterpaar, einem zehnjährigen Jungen und seiner zwölfjährigen Schwester, bewacht wurden.

Anfangs standen noch verstreut ein paar trockene Bäume in der flachen Landschaft, ein paar Lehm- und Blechhütten, ein paar Menschen, die irgend etwas taten. Was sie taten, war nicht zu erkennen, es wirkte so sinnlos in der bis zum Horizont reichenden Öde. Dann plötzlich war nichts mehr, nicht einmal ein verbrannter Grashalm oder ein dorniger Strauch, kein Vogel oder sonst ein Tier, nichts. Rechts und links von der staubigen Straße gelbe

24

Erde. Soweit sie sehen konnte Gelb in allen Schattierungen. Für einen Moment verlor sie die Orientierung und hielt an. Millionen Salzkristalle schimmerten wie ein verschwommener Gletscher. Die abenteuerliche Postkartenromantik war nur ein atemloses, weiß glühendes Gelb, und es war das einzig Sichtbare, das sich bewegte. Die Phantasie machte ihr Angst. »Vielleicht ist das ein verbotenes Land, und ich sitze schon zum Fraß für die Dämonen auf ihrem Teller«, dachte sie und fuhr mit dem Auto los. Plötzlich, wie aus dem Nichts, ritt ein alter Mann auf die Straße, den Esel vollbepackt, den Kopf in einen grauen Turban gewickelt, die Beine zum Schneidersitz zusammengezogen, den Blick in die Richtung, aus der sie kam. »Ein Mensch!« entfuhr es ihr, sie bremste vorsichtig ab, um nicht zuviel Staub aufzuwirbeln, und winkte ihm aufgeregt entgegen. Aber der alte Mann aus Irgendwo sah nicht auf, hielt kurz darauf an, hob die Hände vor die Brust und begann sein Mittagsgebet. Langsam fuhr sie auf ihn zu, seine Augen waren geschlossen. Als sie ihm gerade ein »Merhaba« zurufen wollte, strich er in meditierender Ruhe mit beiden Händen über Stirn, Augen und Mund, sagte mit einem Blick ins ausgebleichte Blau über sich »Amin« und ritt weiter.

Es ist 8.16 Uhr. »Warum kümmert sich keiner um mich?« denkt die Frau und streichelt immer wieder ihren Bauch, als ob sie das Kind beruhigen will. Aber es ist ganz ruhig. Es bewegt sich überhaupt nicht wie sonst am frühen Morgen.

Sie erinnert sich daran, wie dieses Wesen das erste Mal seinem Unwillen kräftigen Ausdruck verliehen hatte. Es war nach einer langen Autofahrt von Köln nach Wien. Kaum hatte sie sich auf das Hotelbett geworfen, trat es seine geballte Wut mit einer solchen Wucht gegen die Bauchdecke, daß diese sich für Sekunden regelrecht zuspitzte. Der Tritt war die Antwort darauf gewesen, daß es ununterbrochen eingequetscht sitzen mußte, weil die Mutter so schnell wie möglich den Eltern des Vaters ihres Kindes ihre »schöne dicke Kugel« vorführen wollte. Überhaupt fühlte sie sich in dieser Zeit viel schöner als je zuvor, obwohl sie fünfzig Pfund zugenommen hatte. Vergessen war die Zeit, in der sie sich nur untergewichtig im Spiegel betrachten mochte. Auf merkwürdige Weise hatte ihr das damals Selbstvertrauen gegeben. Wenn sie schon nicht so groß und blondig schön war wie die deutschen Mädchen, so zumindest die Dünnste mit der kleinsten Konfektionsgröße. So lange sie sich zurückerinnern konnte, hatte sie Eisenmangel und zu niedrigen Blutdruck. Täglich kämpfte sie morgens mit dem bleiernen Körper. Es bedurfte einer gewaltigen Überwindung, den schwindelnden Kopf in die Senkrechte zu heben, um dann doch zufrieden in die extra engen Hosen zu kriechen.

Die Zeiten waren vorbei gewesen. Sie war dick geworden, mehr noch, sie war fett geworden. Im Einklang mit sich, die wassergestauten Beine auf die Ablage gelegt, hatte sie lächelnd auf dem Beifahrersitz gesessen. »Die werden staunen«, wiederholte sie. Der Vater des Vaters ihres Kindes – sie mochte das Wort »Schwiegereltern« nicht – hatte ihr nie ein Kind zugetraut. »Die kann sich in einer Makkaroni-Nudel umziehen!« hatte der alte Wiener geschmäht. Sie wollte keine längere Rast, wollte nur kurz in diese überheizte Zweizimmer-Wohnung, zu diesen von der Arbeit und vom Leben erschöpften Siebzigjährigen, die ihre enge, dunkle Gemeindewohnung kaum noch verließen, um den Gegenbeweis vorzuführen. Die Mutter war bettlägerig, die unheilbare Parkinsonsche Schüttellähmung fesselte sie seit sechs Jahren an die Couch neben dem zu jeder Jahreszeit geheizten Ofen. Die beiden alten Menschen sprachen kaum noch miteinander, nach fünfzig Jahren Ehe war alles gesagt. Gemeinsam saßen sie tagein, tagaus vor dem überlauten Fernseher mit schlechten Bildern. »Eine neue Antenne hat keinen Sinn mehr, wir werden eh bald nicht mehr sein.« Über das Enkelkind, das sie in zwölf Wochen sehen würden, sprachen sie bereits wie aus dem Jenseits: »Hoffentlich wird es sich in dieser Welt zurechtfinden. Wir können eh nichts mehr tun.« Sie warteten auf den Tod, und die Bilder aus dem alten Fernseher verwirrten sie nur. Sprechende, fliegende Autos, katzenfressende, affenähnliche Außerirdische, nackte Frauen und Männer als Wetteinsatz. Es verging keine Viertelstunde, in der sie nicht ihr »baldiges Ende« beschworen.

Die junge Frau hatte panisch ihren Bauch umklammert, die Lippen fest zusammengebissen, den Kopf vornübergebeugt: nein, nicht sterben! Nie sterben! Leben! Nur und ewig leben! Es gibt kein Danach! Ich will weder ins Paradies noch wiedergeboren werden. Ich will leben!

Der Vater ihres Kindes zog sie aus der Wohnung hinaus auf die Straße. Luft! Licht! Leben! Er selbst war vor zwanzig Jahren aus dieser vierzig Quadratmeter Zimmer-Küche-Kabinett-Welt in seine inszenierten Räume geflüchtet. Als Nachzügler hatte er zwar die zehn Quadratmeter Kabinett für sich allein gehabt, die Geschwister waren schon erwachsen und außer Haus gewesen, aber die Erinnerung beengte ihn trotzdem. Mit siebzehn ging er weg von dort, studierte Malerei und wurde Bühnenbildner. Räume zu entwerfen begeisterte ihn: jedem Raum sein unverwechselbares Licht, seine eigene Farbe, seine spezifische Ausstattung zu geben, um die unterschiedlichsten Leben darin optisch sichtbar zu machen. Die Bühne als reale Welt, die Bühnenbilder als Lebensbilder. Er begleitete sie vom Entwurf bis zur Realisation, als ob er sie das Gehen lehren wollte. Bis zur letzten Minute ging er in jeder Phase der Entwicklung neben seinen Räumen her, und bevor der Vorhang hochging, kontrollierte er nochmals jedes Detail, dann sagte er vor jeder Premiere: »Toi, toi, toi« und ließ sie mit ihrer Wirkung auf die Zuschauer allein.

8.18 Uhr. Sie wischt sich den Schweiß aus dem Gesicht. Die Sonne steht jetzt genau vor dem großen Fenster. Ein heiteres, warmes Licht spiegelt sich in dem nüchternen, riesigen Raum. Die Wände und die Decke sind in hartem Weiß gestrichen, der Boden graues, glänzendes Linoleum. Mehrere Betten stehen parallel entlang des rechteckigen Kreißsaales, mit Vorhängen voneinander trennbar. Ganz hinten, von wo es zwischendurch gestöhnt hatte, vor dem letzten Bett an der gegenüberliegenden Wand, ist der Vorhang zugezogen. Er bewegt sich leicht, aber man hört nichts. Es müssen mehrere Menschen dahinter sein. Der Abdruck eines Rükkens wird erkennbar, der sich vom Fußende des Bettes zum Kopfteil vorschiebt, kurz bleibt und dann wieder zurückgeht. Jetzt bewegt sich der hängende Stoff stärker, schlägt Wellen, glättet sich allmählich wieder. Ein heftiges schnaufendes Atmen wird hörbar, dann mehrere Stimmen, ein Mann sagt: »Kräftiger, noch ein bißchen!« Eine andere Frauenstimme: »Gut so, sehr gut, gleich ist es vorbei.« Die Frau preßt, schnauft, stöhnt. Wieder der Mann: »Ruhig durchatmen, weiter so, ganz ruhig.« Dann plötzlich ein winziges Wimmern, eine kleine krächzende Stimme.

Es ist 8.34 Uhr. Ein leises, routiniertes Murmeln, und der Vorhang bewegt sich wieder. Diesmal ziemlich heftig, er wird zur Seite geworfen. Ein Arzt und eine Hebamme beginnen zufrieden die obligaten Untersuchungen hinter der zugdichten Glaswand.

Alles war ohne Komplikationen verlaufen. Wieder rutschen ihr Tränen die Schläfe herunter: »Komplikationen, ich kann dieses Wort fließend rückwärts buchstabieren.« Sie dreht sich um, ihr Blick kratzt an der OP-Tür: »NENOITAKILP-

MOK!« Bei ihr ging nie etwas ohne Komplikationen, ob Vertragsabschlüsse, die Liebe oder das Kinderkriegen.

»Warum soll das jetzt anders sein als bisher. Du bist eben schräg, und schräg ist nicht gerade.« Ihre Freundin versuchte, sie zu beruhigen. Auch sie stammte aus der Türkei und war wie sie in Deutschland aufgewachsen, allerdings nicht durchgehend. Die Eltern hatten zu viel zu tun und schickten sie alle zwei Jahre zu Verwandten zurück in die Türkei. Mal ging sie hier zur Schule, mal dort. Sie, die jeder Pickel in größte Unruhe versetzte, hatte die Angst der Schwangeren zu beschwichtigen versucht. Sie, die jedes Haar in der Bürste zählte. Mehr als hundert ausgefallene Haare am Tag, und sie ging zur Generaluntersuchung. In ihrer ewigen Panik sprach sie so schnell, daß sie kaum Zeit hatte, richtig ein- und auszuatmen, das Zwerchfell zu entspannen. Die Folge: häufiges Seitenstechen. Seit ihrer Jugend immer die gleiche Panik: unheilbares Lungenkarzinom, Chemotherapie, Sterbezimmer, und niemand ist auf der Beerdigung. Erhöhter Puls, wieder Panik: Angina pectoris, künstliches Herz, Endstation Sehnsucht.
Eines Abends hatte sie hinter dem linken Ohr eine

kleine Beule gespürt: Gehirntumor! Oder Schild-
drüsenkrebs! Dann hörte sie schlecht. Das Ende!
In aller Ruhe begann sie, ihre chaotische Wohnung
bis in die letzten Ecken hinein sauberzumachen.
Als sie gegen Morgen den Staubsauger in den
Schrank stellte, war die Beule noch größer geworden. Mit dem duldsamen Blick einer Todgeweih-
ten bereitete sie ihr letztes Bad vor und schrieb
einen Abschiedsbrief, zog sich ihre Lieblingscow-
boystiefel mit Leopardenmuster an und verließ das
Haus.

Kaum daß die Sprechstundenhilfe ihren Kittel
übergezogen hatte, klingelte es Sturm bei ihrem
Internisten. Während die angemeldeten Patienten
den Vorraum füllten, forderte die »Todkranke« in
leisen, stockenden Worten, unverzüglich zum
Arzt vorgelassen zu werden. Aber sie mußte warten. Stunden vergingen. Eine Zeitschrift nach der
anderen blätterte sie durch, bis sie es nicht mehr
aushielt. »Ich will untersucht werden. Ich bin in
Lebensgefahr. Sagen Sie das dem Doktor!« Eine
Männerstimme quetschte ihren Namen durch die
Sprechanlage. Der Arzt putzte gerade seine runde
Hornbrille, als sie ihm die kleine Beule hinter dem
linken Ohr direkt vor die Augen hielt. Nachdem
sie sich endlich hingesetzt hatte, bat er sie, ihr
Krankenblatt in der Hand, erst einmal ruhig zu

werden. Aus den roten Lippen floß das Leid in atemberaubendem Tempo. Wie unter einer heißen Dusche sitzend, leicht entrückt, mit glasigem Blick, krallte sich der Mann immer fester in das rosa Faltblatt, begann es langsam zu zerreißen, bis er alle ihre bisherigen Beschwerden in kleinen Schnipseln über den ganzen Tisch verteilt hatte.

Die dicke kleine Türkin mit der großen roten Brille im runden Gesicht gab sich gerne lautstark und extravagant. »Ich bin deshalb so fett geworden, weil ich das kalte Büffet der Parties besser verdauen kann als das blöde Geschwätz der Gäste. Nimm es als Schutzimpfung.« Die ewige Jura-Studentin, seit sechzehn Jahren stritt sie sich in den Vorlesungen über Kommentare der Rechtsprechung, kämpfte in ihren Fachbüchern mit dem Rotstift gegen die Worthülsen. »Die Rechtsprechung ist der Kuli des Machtapparats, egal, wer in der Rikscha sitzt, ob faschistisches Genozid-System oder eine pluralistische Demokratie. Das eine ist die Peitsche, das andere der Zügel.« Wenn sie das Gefühl hatte, etwas Gutes gesagt zu haben, zog sie die Brille auf die Nasenspitze. »Also immer schön aufpassen, wer in der Rikscha sitzt!« Die Überredungsversuche von Freunden und Verwandten, endlich das Studium abzuschließen, blockte sie nach wenigen Worten ab: »Ich bin Anwalt des Volkes, ich brauche kein Examen.« Tatsächlich war sie immerzu damit beschäftigt, ganz Hypochonderin auch hier, Anklageschriften aufzusetzen. Gegen den Häusermakler, der fünfzig Wohnungen leerstehen ließ, forderte sie eine Freiheitsstrafe von zehn Jahren ohne Bewährung. Den Heimjungen, der in ein Elektrogeschäft eingebrochen war, sprach sie trotz § 242 Strafgesetzbuch frei. Einem Mann, der seine Tochter vergewaltigt hatte, gab sie lebenslänglich. Ob Abschiebung eines tamilischen Asylanten oder das Ausländerwahlrecht, sie suchte den Virus im kranken Gesetz: »Stell dir mal vor, unsereins soll getrennt voneinander ein Jahr warten, um seine Liebe zu beweisen!« schimpfte sie über die Nachzugsregelung. Nach solchen Ausbrüchen saß sie lange still an dem großen Fenster ihres Stammlokals, schlürfte den Wodka-Tonic und warf den Blick auf die Vorübergehenden, bis sie einen neuen Gedanken aufgefischt hatte: »Das einzige, was dieses Tier auf zwei Beinen selbständig zuwege gebracht hat, ist die Kunst, sonst käme er nicht mehr von der Psycho-Couch runter.« oder: »Liebe ist Polieren eigener Macken und ständig schlechtes Gewissen.« Wieder zog sie die rote Brille auf die Nasenspitze. Das war ihr Resumée nach zehn Jahren Zusammenleben mit einem Maler, der beschlossen hatte, seine Aggressionen ausschließlich in die Leinwand zu bohren und der ansonsten nur Ruhe und Harmonie verbreitete. Sie dagegen hatte sich vorgenommen, nichts mehr unausgesprochen zu lassen. Und wenn sie lange genug in die Lichterkette des Boulevard-Theaters vis à vis gestarrt hatte, steigerte sie sich in ein regelrechtes Spektakel: »Wer von Liebe und Gerechtigkeit träumt, sabbert noch tief in der embrionalen Phase. Ein Königreich fürs Arschabwischen und Mückenverjagen! Einen Toast auf die Rikschafahrer: Baut uns noch mehr Zwinger, wir haben es nicht anders verdient!« Brüllend und flüsternd, mit großen Gesten vom Stuhl aufspringend und nach dem nächsten Wodka-Tonic rufend, schaffte sie es im Laufe des Abends, die Aufmerksamkeit der Nebentische auf sich zu ziehen. Peu à peu rutschten einzelne zum kleinen Bistrotisch, an dem zuerst nur die beiden Freundinnen gesessen hatten. Die Besitzer des Lokals, zwei griechische Brüder, hängten dann gegen Mitternacht das Schild »Geschlossene Gesellschaft« an das Glasfenster. Zum x-ten Mal entwickelte sich aus dem anfänglichen Zweiergespräch eine Diskussionsrunde. Eine Äthiopierin, Wirtschaftsstudentin, prostete grinsend mit Tomatensaft zurück: »Zwinger ist gut, aber das betrifft nicht nur die Rechtsprechung. Auch die Sprache ist ein Zwinger. Sie formt dein Denken. Sie bestimmt, wie und was du denkst, wie und was du fühlst. Das ist Heimat.« – »Säg die Stäbe des Zwingers durch, und mach dir deine eigenen Gesetze!« unterbrach die dicke Türkin. »Heimat ist wie Fruchteis, solange du es leckst, erfrischt es dich, vielleicht errätst du noch die Geschmackssorte, aber hinterher hast du Durst wegen der süßen Pampe!«

Der Vorhang wird zur Seite gezogen, aber dahinter ist niemand mehr. Eine andere Stimme, viel tiefer, gepreßter, stöhnt jetzt ganz in der Nähe. Sie hebt den Kopf. Eine Neue ist hereingeschoben worden. Sie liegt in der Nische zwischen zwei Türen. Man sieht nur ihre Umrisse. Sie liegt mit dem Gesicht zur Wand, seitlich, eine Wolldecke um ihre Hüften. Immer wieder stöhnt sie, zieht die nackten Beine an, die Füße verkrampfen sich. Sie hat schwarze, schulterlange, volle Haare. Ein urhaftes Stöhnen. Man sieht sie kaum. »Maika! Tschi!« dröhnt es mit tiefer Stimme von ganz unten aus dem Leib. »Eine Zigeunerin«, denkt die Schwangere. Unwillkürlich fällt ihr der Fernsehbericht über die rumänischen Zigeuner ein, die das Wasser aus den Pfützen aufgesammelt haben, weil in ihre Slums keine Wasserleitungen gelegt wurden. »Ob sie aus dieser Gegend ist?« – »Maika!« Ein schmerzgefülltes Stöhnen. Wieder zieht sie die Beine krampfartig hoch. Es ist 8.39 Uhr. »Schwester!« ruft sie. »Der Frau geht es schlecht, bitte helfen Sie ihr.« – »Sie hat Wehe, das ist ganz normal.« Die holländische Hebamme drückt sie weich ins Kissen zurück. »Normal« brennt es ihr im Kopf. Normal wären also jetzt nach vierzig Wochen Wehen. Sie aber blutet. Sie muß nicht schreien, ihr tut nichts weh. Seit zwei Tagen blutet es nur.

»Bitte, Schwester, haben Sie meinen Mann erreicht? Der weiß nichts von dem vorgezogenen Termin.« – »Es wird schon gut werde«, der milde holländische Akzent versucht zu beruhigen. »Sie dürfe sich nit aufrege. Wir werde jetzt mit die Vorbereitunge beginne.« Sie nimmt von dem Tisch neben ihrem Kopfende einen langen, dünnen Schlauch mit einer Kanüle. »Zuerst Blasendrainage«, sagt sie. Es brennt. Sie legt sich auf die Seite. Aber das Dröhnen aus der Ecke erschreckt sie mehr. »Eigentlich geht es uns gut«, denkt sie. Die Tränen sind ins Ohr gerutscht, das kitzelt.

Sie solle dafür dankbar sein, daß es ihr gut geht. Täglich hielt ihr die Mutter diese Predigt. Ein unbedeutender, winziger Anlaß, etwa das Vollstop-

fen des Mülleimers oder das Liegenlassen getrage-
ner Socken, führte zu erbitterten Vorwürfen. Es
passierte ihr einfach, unabsichtlich, ohne Überle-
gung oder Anstrengung. Das einst schöne, offene
Gesicht der Mutter war verhärtet. Eine tiefe, steile
Falte zwischen den Augenbrauen hatte es zugezogen. Die vollen Lippen preßte sie zusammen:
»Mich friert es im Kopf, aber meine Zunge spuckt
Feuer«, entschuldigte sie sich oft anschließend für
die Rundumschläge.

Wie die Alten aus ihrer Gegend erzählen, war sie –
die älteste von fünf Geschwistern – ein sehr intelli-
gentes Kind gewesen. Ein kleines, verstaubtes
Dorf in der Hitze Anatoliens war ihr Zuhause. Ein
für dortige Verhältnisse großer Bauernhof mit je
einem Dutzend Kühen und Wasserbüffeln, drei
Pferden, einem Maisfeld und einer Haselnußplantage hätten ihr Abenteuerspielplatz sein können.
Statt dessen mußte sie die bettlägerige, durch unzählige Fehl- und Totgeburten geschwächte Mutter ersetzen und die am Leben gebliebenen Geschwister behüten. Schon als Kind mußte sie dem
Vater das Essen aufs Feld tragen, das Wasser aus
dem Brunnen ziehen, die Wäsche mit der Hand
waschen, die Kühe melken, den Stall ausmisten.
Da alle Kinder sich so schinden mußten, glaubten
sie an ein unentrinnbares, vorherbestimmtes

Schicksal, und ihr strenggläubiger Vater bestätigte dies mit den Worten des Korans, dessen Botschaft lautet: Alles ist vorherbestimmt. Auch das Mädchen hatte keinen Zweifel daran, diesen vorgezeichneten, pflichtüberladenen Weg in ein zwar späteres, aber dafür dann um so glücklicheres Leben ins Jenseits gehen zu müssen.

Die verrotzten, kahlgeschorenen, großäugigen Kinder gleichen in ihrer Ernsthaftigkeit den wieder kindartig werdenden Alten. Ein Leben in ermüdender und verschleißender Tagesarbeit, um wenigstens das kärglich Vorhandene zu sichern, schweißt die Generationen zu einer Großfamilie zusammen, in der die Gesetze der Alten das Verhalten der Jungen festlegen, bis diese dann alt genug geworden sind, und die tradierten Bestimmungen ihren Kindern aufzwingen. Ein Mobile aus Überlebenskampf und Fortsetzung der Tradition. Veränderungen können nur von außen kommen.

Genau dies geschah. Ein Onkel erkannte ihre Wachheit und meldete sie heimlich, ohne die Erlaubnis der Eltern einzuholen, in der Schule an. Sie durfte dann die folgenden fünf Jahre regelmäßig die Schule mit der Auflage besuchen, die häuslichen Pflichten nicht zu vernachlässigen. Sie schaffte es, gleichzeitig zu lernen, auch noch mit

Freude, und weiterhin daheim zu arbeiten. Das Wasser aus dem Brunnen ziehen, die Wäsche mit der Hand waschen, das Korn mahlen, das Brot backen, die Butter schlagen, die Tiere füttern. Trotzdem hat sie sich erst später in Deutschland überfordert gefühlt. Ihre Kolleginnen wurden mit DM 8.50 die Stunde entlohnt, sie erhielt für die gleiche Arbeit DM 5.05, weil sie keine gelernte Schneiderin war. Obwohl der Meister komplizierte Smoking- oder Hemdänderungen nur auf ihren Tisch legte, setzte sie die Firma erst nach zwölf Jahren den anderen Kollegen gleich. Da war die Rente nicht mehr aufzustocken. Heute bekommt sie für zwanzig Jahre mühsamer Kleinarbeit 700 DM Rente.

Traurig sah sie ihre Töchter an: »Könntet ihr einen Tag in meinen Schuhen gehen, einen Tag mit meinen Augen sehen, ihr würdet verstehen: Es ist nicht der Weg aus dem Staub zum glänzenden Asphalt, nicht die 3000 km, die man messen kann, es ist der Blick zurück, der immer verschwommener geworden ist. Die Zeit verliert sich in uns hinein und läßt uns mit den Erinnerungen allein. Mit jedem Schritt bin ich blinder geworden.« Die Mädchen beobachteten, daß sie zunehmend stiller von den jährlichen Urlaubsreisen in die Türkei zurückkehrte, die sie alleine unternahm. Je tiefer sich die steile Falte zwischen ihre Augen grub, je mehr »der Blick zurück« sie betäubte, desto heftiger klammerte sie sich an »unsere Tugenden«. »Wir sind Fremde hier«, sagte sie und beschwor die Kinder, »anständig« zu bleiben. Sie durften weder an Schulausflügen noch an den Feiern der Mitschüler teilnehmen. »Mit der Zeit werdet ihr verstehen. Ein Mensch soll nie seine Wurzeln verlassen. Hier werden wir Fremde bleiben.« Das Wort »Fremde« hatte einen traurigen und zugleich hilflosen Klang, nicht nur, daß sie sich hier fremd fühlte, von den Einheimischen als »Fremde« nicht wirklich respektiert wurde, sie spürte gleichzeitig eine wachsende Entfremdung in ihrer Heimat. Sie bereute immer wieder den Entschluß, fortgegangen zu sein. Die strenggläubige Tochter eines Hadci, eines Mannes, der nach Mekka gepilgert war, hatte hier vor allem die religiöse Einbindung verloren. Sie betete allein, war die einzige in der Familie, die fastete und auf den Feiertagen des arabischen Kalenders bestand, vor allem Ramadan und Opferfest. Alleine kochte sie ein Dutzend verschiedener Festtagsgerichte, die nie aufgegessen wurden. Mit aller Kraft stemmte sie sich gegen das Heute, flüchtete mehr und mehr in die arabischen Suren ihres in grünem Samt eingewickelten Korans. »Wenn wir zurückgehen, soll keiner mit dem Finger auf uns zeigen können. Wir sind anständig geblieben.« Sie wollte unberührt von der freizügigen »sündigen« Lebensweise nach der Rückkehr bei Null beginnen. Wenn sie nur die Töchter heil durch diese vom Weltuntergang bedrohte Hippiezeit bis zum Abitur brächte, wäre das Schlimmste überwunden. Aber die Ältere saß wie gebannt vor dem ersten Farbfernseher und saugte fasziniert die Berichte über Demonstrationen und Open-air-Konzerte in sich auf. Tausende trugen Blumen im Haar, begegneten sich anscheinend ohne Vorurteile, liebten ohne Schamgefühl, sangen »All you need is love«. Auf den Transparenten stand »Make love not war!«, egal welcher Herkunft, Hautfarbe oder Konfession die Menschen waren. Das Mädchen rebellierte gegen blanke Lackschuhe, gebügelte Blusen und karierte Faltenröcke. Die mit den langen Haaren und Bärten würden sie annehmen, wie sie ist. Bei ihnen wäre sie nicht allein, dachte sie. »Das sind keine normalen Menschen, die so herumlaufen!« schrie die Mutter entsetzt, »und du auch nicht! Geh zum Arzt und laß Dir den Kopf untersuchen.« Kaum betrat sie abends grau vor Erschöpfung die Diele, schloß sie dreimal hinter sich ab und begann wehzutun.

An Tagen, an denen sich die steile Falte besonders tief in die Stirn grub, zog sich die müde Frau in die

Küche zurück. Dann hörte man das Kratzen des Bleistifts auf linierten Briefbögen. Sie tauchte in die andere Zeit ein, träumte von der gelben Luft, einem Gemisch aus Sonne und Staub, die die widerspenstige anatolische Landschaft verschleierte und durstig machte auf den einzigartigen schwarzen Tee, der mit drei Stück Zucker serviert wurde. Sie träumte von dem Fluß, der sich unterhalb des Elternhauses durch das Tal schlängelte. Von den Wasserbüffeln, die sie dorthin zur Tränke geführt und wo sie sich am steinigen Ufer die aufgerissenen Füße gekühlt hatte. Sie dachte an den Schweißgeruch in den kühlen, flachen Zimmern, an den Duft von frischer Minze und Rosmarin, von selbstgebackenem Maisbrot und gekochtem Walnußhuhn. Da war noch der Maulbeerbaum, der größte Maulbeerbaum weit und breit, der Stamm so dick, daß ihn die drei Schwestern gerade umfassen konnten. Er stand direkt vor dem Haus auf der großen Wiese, ein paar Meter hinter dem Ziehbrunnen, und war voller weißer, süßer Früchte. In seinem Schatten verging die Zeit, das nußgroße, weiche, saftige Obst schmolz auf der Zunge, man spürte es kaum und wurde nie satt davon. Bis in die Nacht hinein schrieb sie endlose Briefe, schickte Geld an ihre Eltern für eine Waschmaschine. Sie sollten sich nicht mehr mit Wasserziehen und Wäschewaschen quälen. Aber die Stromleitung wurde nur für die Beleuchtung der einzigen Dorfstraße gelegt, und fließendes Wasser gab es auch noch nicht. Der Bruder antwortete, daß das sicher noch zehn Jahre dauern würde und man statt dessen einen Gaskocher gekauft hätte. So brauchten sie im Sommer den Ofen nicht mehr zu heizen.

Die Uhr über der grünen OP-Tür zeigt 8.44 Uhr. Aus der Ecke dröhnt es immer noch »Maika!« – »Du müßtest die Zigeuner Geige spielen hören. Es ist Sehnsucht pur. Die Musik kriecht dir durch die Haut und knetet die Seele. Wenn ich nur daran denke, kriege ich schon Gänsehaut.« Sie reibt sich die Arme. Die Sonne zaubert lustige Sterne auf die unzähligen Chromteile, der Raum strahlt in sterilem Weiß. Kleine Gruppen von Spatzen jagen sich vor dem Fenster. Auf ein nicht erkennbares Startkommando hin fliegt ein Dutzend ganz aufgeregt von rechts nach links, nach einer Weile kehren drei in Siegerpose schwingend an ihren Ausgang zurück. Mit großer Lust wiederholen sie ihre Wettrennen, bis sie, gelangweilt von diesem Spielplatz, sich einen anderen suchen. Ihr fällt ein Rundfunkbericht ein. Kinder im Ruhrgebiet wurden gefragt, ob sie nicht die Vögel, vor allem den Specht, vermissen würden, den es ja in den Städten kaum noch gäbe. »Nein«, sagten die Kleinen, »und außerdem machen die Autos schon Krach genug.« »Wo ist die Patientin?« Die Hebamme führt den Mann in Weiß durch die Landschaft aus weißen Betten, weißen Vorhängen und weißen Wänden. Er fiele kaum auf, wären der Kopf und die Hände nicht so braungebrannt. Lässig begrüßt er die Schwangere. Gestern hatte er auf ihre Weigerung, in diesem Krankenhaus zu bleiben, gedroht, daß sie jede Minute verbluten könnte. »Ich mache Sie auf etwaige Konsequenzen aufmerksam, Sie allein tragen die Verantwortung.« Sie mochte diesen Mann nicht. Er war grob. Aber es gab keine Wahl. »Er ist ein Spezialist auf seinem Gebiet«, hatte ihr der Hausarzt gesagt und sie angemeldet. »Alles bereit? Wo ist das EKG?« Die Holländerin reicht die Unterlagen. »Gut, gut, können wir Schwester?« – »Nein, der Narkosearzt is noch nit im Haus.« Der Mann in Weiß wird wütend. »Ich habe um elf Uhr einen Court reserviert.«

»Ich hätte auf Skifahren getippt«, denkt die Schwangere. Der Arzt: »Sagen Sie mir sofort Bescheid, wenn er kommt.« Die Hebamme begleitet ihn in angemessenem Abstand zur Tür. Das Stöhnen der Frau in der Ecke hatte er kommentarlos übergangen. Sie war nicht seine Patientin.

»Maika!« dröhnt es wieder, sie dreht sich um, legt die Decke um die Hüften neu, streift die Haare aus dem verschwitzten Gesicht. Ein schönes, noch sehr junges Gesicht. In der Hand hält sie einen Rosenkranz. Sie schiebt die einzelnen Perlen hastig zurück und murmelt etwas.

»Ich hab' für uns mehrere Götter ausgewählt.« Sie streichelt den Bauch. »Ich glaube nicht, daß nur einer allein die Menschen zur Vernunft bringen kann. Ich bin überzeugt, daß die vielen sich irgendwann zusammensetzen und die Friedenspfeife rauchen werden. Dann wird jeder von ihnen den alleinigen Anspruch auf die einzige Wahrheit aufgeben, und man wird aus jeder Religion das Schönste für uns aussuchen. Sicher werden sie bei der Suche sehr viel Tabak brauchen und viele Pfeifen heiß rauchen. Aber du wirst sehen, sie werden sich einigen, und das Ergebnis wird ein wunderbarer, würdiger Götterbund sein, eine neue Religion mit mehr Rechten und weniger Pflichten als die vorherigen. Dann werden wir mit dem christlichen Tatendrang aufwachen, in liebevoller, moslemisch gelassener Art die klugen jüdischen Weisheiten leben und abends mit der Hoffnung auf Wiedergeburt in Buddhas Schoß einschlafen. Was meinst du, mein Engel, was das für schöne Träume gibt.«

Es ist 8.46 Uhr. Der Vater ihres Kindes ist immer noch nicht da. Noch nie hat sie so oft auf die Uhr gesehen. Als Protest gegen die Uhrenflut in ihrem Elternhaus trägt sie bis heute keine Uhr. Ihr Vater hatte einen sehr präzisen Tagesplan, den er in jedem Winkel der Wohnung zu kontrollieren wünschte, ohne auf die Armbanduhr sehen zu müssen. Ein Radiowecker neben dem Bett war für das pünktliche Aufstehen verantwortlich, eine runde Wanduhr im Bad beobachtete den genauen Zeitplan für Duschen, Haarewaschen, Zähneputzen, Anziehen und Fönen. Auf dem Weg durchs Eßzimmer in die Küche pendelte eine Standuhr in Messinggehäuse zur Kontrolle, bis dann das Frühstück unter der Aufsicht der rechteckigen Wanduhr über dem Küchentisch eingenommen wurde. Danach erwartete ihn eine Chromstanduhr mit einem Flugzeug auf dem Ziffernblatt im Flur. Hier wurde der Sitz von Hut und Mantel geprüft, ein letzter Blick auf die Standuhr aus Chrom, dann auf die Quarzarmbanduhr, und ihr Vater verschwand zum Geldverdienen. Obwohl er gleitende Arbeitszeit hatte, war er der erste an der Stechuhr. Es schien, als ob dieser zurückhaltende, ernste Mann seine nüchterne Arbeit am Zeichenbrett rasch hinter sich bringen wollte, um möglichst bald seiner eigentlichen Leidenschaft nachgehen zu können.

Die Konstruktion von Hoch- und Tiefbau hatte er gelernt, um damals als ältester von drei Geschwistern ohne Eltern so schnell wie möglich nicht mehr auf das Zubrot der Verwandten angewiesen zu sein. Als Elfjähriger verwaist, wurde er nach einer »Bestenprüfung« in das staatliche Internat in Ankara aufgenommen. Ein spartanisches, einsames Leben mit Drill und einem Katalog an Pflichten folgte. Sie mußten dem Staat dankbar sein und das werden, was dem Staat fehlte: Mathematiker, Chemiker, Ingenieure. Er war gehorsam und lernte. Das technische Studium wurde ebenfalls vom Staat finanziert. Nach Abschluß des Diploms war man verpflichtet, fünf Jahre in staatlichen Behörden zu arbeiten. Er war Techniker geworden, den Kopf gefüllt mit Formeln über Statik, Wahrscheinlichkeit, Materialdehnung und Belastbarkeit. Und was ein Mathematiker, Chemiker oder Ingenieur sonst noch wissen mußte, er wußte es. Aber sein wirkliches Interesse gehörte der Literatur und der Philosophie, der Oper und den Konzerten. Er sog den Zeitgeist, den Atatürk hastig herüberwedeln ließ, durstig in sich hinein. Nach seiner Arbeit lebte er in Bibliotheken auf. Er wurde zum Einzelgänger und ist es bis heute geblieben. Er suchte mit fast kindlicher Naivität in der Literatur nach Antworten, die seine früh verstorbenen Eltern nicht mehr hatten geben können. Ein anderes Zuhause als die Kultur hatte er nicht, von Tante zu Nachbarn, von Onkel zu entfernten Verwandten hin- und hergeschoben, fand er erst mit dreizehn Jahren im staatlichen Internat eine feste Bleibe. Im Gegensatz zu seiner Frau, die in einer Großfamilie aufgewachsen war, konnte er scheinbar ohne Widersprüche in eine andere Kultur eintauchen. »Heimat kann auch der Ort sein, den man erst finden muß«, sagte er.

In seiner üblichen Lesehaltung, die Beine übereinandergeschlagen, die Arme verschränkt, den Kopf leicht zur Brust geneigt, saß er in seinem Arbeitszimmer, hinter sich an der Wand Kants kategorischen Imperativ im silbernen Rahmen: »Handle so, daß die Maxime Deines Willens jederzeit zugleich als Prinzip einer allgemeinen Gesetzgebung gelten könne.« Still grübelte er vor sich hin, durchdachte und plante sein Leben und das seiner Familie täglich neu. Ohne störende Improvisationen sollte es einer verläßlichen Kontinuität folgen. Die Töchter sollten an einer wissenschaftlichen Fakultät studieren, dann mit ihren Eltern zurückgehen und am sozialen und politischen Wohl des Herkunftslandes mitarbeiten.

Die Mädchen fühlten sich zwar von ihren Eltern mehr umsorgt und aufgehoben als ihre Mitschüler – das lose Miteinander in deutschen Familien interpretierten sie als Gleichgültigkeit –, aber während ihre Mitschülerinnen offenherzig über alles sprechen konnten, saßen die Kinder der Emigranten in der Pubertät stumm da, den Blick auf die vor Scham feuchten Hände gerichtet. Sie schämten sich ihrer Unwissenheit, denn weder Mutter noch Vater konnten ihnen in dieser gewaltigen Verwirrung helfen. Wenn Schamhaare wuchsen, mußten sie entfernt werden, die kleinen Brüste mußten in unbequemen Haltern versteckt werden, und über die monatlichen Blutungen wurde erst gar nicht geredet. Die Mutter sagte nur: »Ihr seid jetzt Frauen.« Darin steckte etwas Bedrohliches. Sie durften nicht mehr mit den Nachbarjungen herumtoben, mußten beim Baden die Tür verschließen, die kurzen Röcke wurden verlängert, und sie durften auch nicht mehr ungeniert in die Umarmung des Vaters kriechen, wie sie es bisher gewohnt waren. Die Mitschülerinnen liefen lachend und flirtend mit noch kürzeren Röcken, ohne sich zu schämen, mit den Jungen auf den Schulhöfen und der Straße umher, während die beiden zunehmend verschlossener und schüchterner wurden, nur noch gemeinsam kleinere Radtouren in die nächste Umgebung machten. Dabei sprachen sie nicht viel, erst recht nicht über diese merkwürdigen Vorgänge. Sie verstanden sie nicht. Jede wünschte sich, während sie den Kopf in den Fahrtwind hob und das leichte Flattern des Hemdes am Körper genoß: »Wenn ich doch nur mit jemandem reden könnte.« Jede für sich schuf in ihren Träumen eine neue Familie, in der es anders zuging als in ihrer eigenen. Sie zogen sich in die abgeschlossene Welt ihrer Wohnung zurück. Stundenlang saßen sie auf der Ablage vor dem Küchenfenster und sahen aus dem dritten Stock den vorbeilaufenden und flanierenden, morgens hetzenden, abends schlurfenden und nachts, wenn es ganz still war, torkelnden, gröhlenden Menschen zu. Zwischen ihrem Wohnblock und der Straßenbahnhaltestelle mit Imbißbude und Zigarettenautomat bog sich die zweispurige Straße wie ein großes S. Wenn man das Fenster öffnete, stank es nach Benzin und Diesel. Das Dreieck zwischen der durch Zäune und Stacheldraht abgeschirmten Kaserne, ihrem Wohnblock und der Straßenbahnhaltestelle mit Imbißbude und Zigarettenautomat wurde zur Bühne mit unerschöpflichem Repertoire. Die »Underberg-Tante«, wie die kleine, schmächtige Frau des Müllfahrers genannt wurde, ging zwar jeden Vormittag zum Konsum, aber es war trotzdem jedes Mal anders: Mal war sie unfrisiert, noch im Nachthemd unter dem Mantel, und stolperte, mal war sie in bester Laune, bunt angezogen und geschminkt, mal schubste sie ihre beiden kleinen Söhne vor sich her, mal drückte sie sie liebevoll an sich. Der leicht beschränkte Hausmeister, der »Müllfresser«, sammelte jeden Tag andere Papierschnipsel und Blechdosen in die schlammgrüne Tragetasche, übermalte täglich andere Parolen in dem roten Fahrstuhl. Die Rentnerin ging nie an der Ampel über die Straße auf das dahinter gelegene Brachland, um ihren schon ziemlich ergrauten Dackel mit Hüftleiden auszuführen. Die »Bratwurst-Monroe« war der Spitzname der wasserstoffblonden Verkäuferin in der nach altem, verbranntem Fett stinkenden Bude. Sie flirtete nie mit demselben Mann. Die Straßenbahnen waren zwar alle grün, aber jede hatte andere Reklameschilder, mal waren sie voller Menschen, mal leer, mal klingelten sie, mal nicht. Meistens holten sich die zwei Schwestern noch etwas zum Essen und Trinken und machten es sich auf der Ablage vor dem Küchenfenster für Stunden bequem. Das Radio lief mit dem Mittagsmagazin, der blau-weiße Wellensittich klopfte gegen den Spiegel im Käfig und krächzte wie ein Endlosband: »Küßchen, Mano! Gib Küßchen!«

Über die Vergangenheit sprach man nicht, klar war

nur, das Leben hier würde irgendwann abgeschlossen sein. Der nächste Tag war noch klar: Schule, Fensterbank, Schlafen. Übermorgen auch: Schule, Fensterbank, Schlafen. Danach wurde es diffus. Immerhin fühlten sie sich jetzt in der Großstadt wohler als in dem Provinznest, in dem sie ein Jahr gelebt hatten. Nach der Volksschule waren sie vom Vater in das humanistische Gymnasium in der Kleinstadt eingeschrieben worden. Die Jüngere kam in die fünfte, die Ältere in die siebte Klasse. Zu dieser Zeit gab es kaum schulpflichtige ausländische Kinder. Überall waren sie die einzigen. Es wurden zwar schon die ersten Waggonladungen Arbeitskräfte aus Anatolien eingekauft, aber ausschließlich Männer ohne Familie und mit begrenzten Zeitverträgen.

Der Lehrer in der Klasse 5b war bekannt als ein unnachgiebiger, strenger Pädagoge. Wenn er die Klassentür öffnete, standen die Kinder ruckartig kerzengerade neben ihren Sitzplätzen und stimmten ein nicht zu leises, aber keinesfalls zu lautes »Guten Morgen« an. Und sie standen so lange still, bis der junge, unscheinbare Mann die Türe leise hinter sich geschlossen hatte, zum Fenster hinüberging, die Flügel mit einem vorwurfsvollen Blick festhakte, die Tafel kontrollierte, die Aktentasche auf den Tisch, der ebenfalls zu glänzen hatte, ablegte, sich im Drehstuhl sitzend die Höhe regelte und das Klassenbuch vorzog. Ein abschließender, gerader Blick zu den Neun- bis Zehnjährigen, der winzige Hauch eines zufriedenen Lächelns, und dann endlich das erlösende »Setzen!«. Er hatte ein sicheres Gespür dafür, an welchem Schüler er seine Autorität unter Beweis stellen konnte. Von Beginn an wurde die kleine Schwarzhaarige mit den dicken Zöpfen sein Demonstrationsobjekt. Drohend stellte er sich mit dem Lesebuch in der Hand neben sie, zog sie am Kragen hoch und forderte die Aufgaben ab. Oft schluchzte sie nur und brachte in seinem Unterricht keinen Ton heraus. Die Augen zuckten, sie fing an zu stottern. Nervös fummelte sie an ihren Zöpfen. Das war ihm Grund genug, ihre Unwissenheit mit einem Schlag auf den Kopf und einem »Setz dich« zu beenden und sie den Rest der Stunde mit Nichtachtung zu bestrafen. Dabei hätte sie die Gedichte und die Jahreszahlen in bestem fließendem Deutsch vortragen können, sie war vorbereitet.

Der Klassenlehrer der Schwester war behutsamer, lustiger. Er war eher ein Clown, der mit Humor und Witz schwierige Geschichten leicht begreifbar machen konnte. Statt dessen gab es aber dort eine Frau, die sich trotz ihres deutschen Namens als Brasilianerin vorstellte und Englisch und Französisch unterrichtete. Mit zitterndem Unterkiefer, als ob sie ständig kaute, spitzen, fuchtelnden Händen, das Becken nach vorn gedrückt, den Rücken krumm, den rechten Arm angewinkelt und vor sich herwedelnd, wippte sie am ersten Tag von ihrem Tisch aus zu dem fremdaussehenden Mädchen. »Woher kommst du?« – »Ich wohne in der Gartenstraße.« – »Ich meine, wo du geboren bist.« – »In Ankara.« Kommentarlos vor sich hinkauend, latschte sie zurück. Sie schien genug erfahren zu haben. Sooft sich die Zwölfjährige auch meldete, die »Brasilianerin« forderte einen anderen Schüler auf. Nur bei Rückgabe der schriftlichen Arbeiten spitzten sich die Lippen der Alten in ihre Richtung: »Ungenügend« oder »mangelhaft«.

Das sollte aber nicht ihre einzige Begegnung mit der »Brasilianerin« bleiben. Drei Jahre später, nach dem Umzug in die Großstadt, wartete die ältere Schwester mit einigen Mitschülern vor dem Eingang eines anderen humanistischen Gymnasiums. Da latschte die noch krummer gewordene »Brasilianerin« als neue Englischlehrerin an dem Grüppchen vorbei. Zwei Wochen dauerte es, dann war es soweit: Nachdem sie, wie gewohnt, das Klassenbuch überprüft hatte, in das die neuen Klassensprecher eingetragen waren – erste Klassensprecherin die Ausländerin, der zweite Klassensprecher, ihr Vertreter, ein Deutscher – sahen die Sechzehn-, Siebzehnjährigen grinsend ihrem Schauspiel zu: Sie sammelte sich, stand auf, wippte, den Arm vor sich herwedelnd, den mittleren Gang bis zum letzten Tisch entlang, breitete die Arme aus und blieb stehen: »Meine Liebe, welch eine Überraschung!« Zu den anderen gewandt: »Wir sind nämlich alte Freunde.« Das schallende Gelächter der ganzen Klasse, die in die Vorgeschichte eingeweiht worden war, jagte ihr einen solchen Schreck ein, daß sie den Versuch, die jetzt fast erwachsene Schülerin zu umarmen, sofort abbrach.

Mit einer Geschichtslehrerin dagegen hatte sie mehr Glück, sie war eine der wenigen Pädagogen gewesen, die sich nicht strikt an den Lehrplan und das Abfragen historischer Daten hielt, sondern immer wieder auch tagespolitische Diskussionen führte, und die Schüler zu selbständigem Denken aufforderte. So bildeten sich unter den knapp dreißig Schülern zwei Gruppen: Die eine, die die politischen Entscheidungen der Regierung verteidigte, und eine Protestfraktion. Ein kurzsichtiger, dicker Mitschüler wurde für zwei Jahre ihr Gesinnungsfreund. Während der Schule und auf den Heimfahrten über acht Stationen mit der Straßenbahn führten sie ihre aufregenden Debatten über Krieg und Frieden und Gott und die Welt. Ein strohblonder, sommersprossiger Mitfahrer gesellte sich dazu, und gemeinsam wurde von der »Dreierbande« das Kommunistische Manifest studiert, das sie für die Geschichtsstunde referieren mußte. Wie bei vielen anderen ihrer Generation kam dann das Engagement in politischen Gruppen und der feurige Einsatz für Randgruppen aller Art: Sozialhilfeempfänger, Jugendliche im Strafvollzug, Asylanten, Zigeuner oder Latinos – deren Probleme machte sie zu den ihrigen. Die ausschließliche Beschäftigung mit den Problemen der Türken empfand sie als unerträglich engstirnig. Im Gegenteil, sie wurde aggressiv, wenn sie auf ihre Nationalität angesprochen wurde: »Ich bin Kosmopolitin!« war ihre wütende Antwort. Dennoch suchte sie, zunächst fast geheim, nach dem ihr unbekannten Kulturgut ihrer Herkunft. Obwohl sie die intellektuellen Emigrantenkreise mied, ihr vereinshaftes Sektierertum empfand sie als Rückzug vor dem Dialog mit den Einheimischen, sammelte sie Literatur von türkischen Dichtern, von Aşik Veysel, Nazim Hikmet und Yaşar Kemal, hörte Musik von Ruhi Su und Arif Sag, besuchte Ausstellungen von Hanefi Yeter und dem Bildhauer Mehmet Aksoy. Es war nur noch eine Frage der Zeit, wann sie sich von den Nachmittagen auf der Fensterbank lösen und sich der Kontrolle der Eltern entziehen

würde. Auch wenn ihr der Gedanke Angst ein-
jagte, denn sie würde sich nicht nur den Familien-
gesetzen widersetzen müssen – ein Mädchen ver-
läßt erst bei der Heirat das Zuhause –, sie würde
den vierköpfigen Kleinstaat in der Fremde verraten. Außerdem war sie noch Schülerin, achtzehn
Jahre, unselbständig. Die finanziellen Mittel würden für einen eigenen Haushalt niemals ausreichen.
Auf »Landesverrat« waren strenge Strafen möglich: Man könnte sie sofort von der Schule abmel-
den und in die Türkei zurückschicken. Man
könnte sie mit dem nächsten Mann verheiraten
oder sie krankenhausreif schlagen. Nichts davon
geschah. Die Eltern reagierten stumm auf den Entschluß der Tochter. Es war wie die Ruhe vor einem
Erdbeben, wenn sich nichts mehr bewegt, die
kleinsten Käfer sich in ihre Schalen zurückziehen.
Die Eltern standen stumm da: überrascht, entsetzt,
verzweifelt. Das erste Verliebtsein gab ihr die un-
geahnte Kraft wegzugehen. Mit dem wenigen, was
sie mitnehmen durfte, Kleider, Schuhe, Bücher
und ihre Gitarre, zog sie in eine kleine Mansarde.
Die Tür fiel ins Schloß. Die Erde schob sich zusammen. Es blieb still. Sprachlos. Kraftlos. Mut-
los. Jedweder Familienkontakt war seitdem unter-
sagt, auch an Geburtstagen oder religiösen Feiertagen, auf deren Einhaltung die Mutter sonst größ-

ten Wert gelegt hatte. Aus Scham vor Bekannten und Verwandten wurde die ältere Tochter totgeschwiegen.

In mühsam organisierten konspirativen Treffen mit der Schwester erfuhr sie, daß die Eltern krank geworden waren, der Vater hatte einen Kreislaufkollaps, die Mutter lag mit Magengeschwür im Krankenhaus. Ordentlich frisiert und angezogen, so wie es die Mutter immer gewollt hatte, war sie mit fünfzehn selbstgebackenen Pfannkuchen ins Zimmer getreten. Die Mutter zog sich sofort die Decke über den Kopf. Das noch warme Mitbringsel stellte sie auf den Nachttisch neben dem Krankenbett. »Gute Besserung, Mama«. Keine Antwort. Gerade als sie zur Tür hinausgehen wollte, schepperte es hinter ihr. Wortlos sammelte und wischte sie auf, trug die Scherben hinaus. Sie versuchte, sich hinter den langen Haaren zu verstecken, aber aus dem Gesicht tropfte es, der Körper zuckte krampfartig. »Ich bin schuld! Ich bin schuld! Ich bin schuld!« Sie kniff sich ins Gesicht, schlug sich auf die Beine. »Ich! Ich!« Sie wälzte sich auf dem Boden ihrer Mansarde. »Ich bin schuld!« Bis ihr Freund sie beruhigen konnte, war es Morgen geworden.

»Ist der Narkosearzt da?« schmettert der Chefarzt, während er übersportlich in den Kreißsaal stürmt. Mit einem Blick erkennt er, daß er mit den Frauen allein im Zimmer ist und in der Luft hängt. Ein wichtiger Mann ohne Personal. Schon im Rückwärtsgang, aber mit schlechtem Gewissen, ruft er viel zu laut: »Alles in Ordnung?« Und bevor die erste Frau überhaupt antworten kann, noch lauter: »Ich schicke die Hebamme! Ich schicke die Hebamme!« Dann ist die Tür wieder zu. Es prustet aus ihr heraus. Sie lacht, den Mund weit aufgerissen, lacht und lacht, das Rollbett quietscht, der Beistelltisch klappert, der Bauch wippt, die Augen tränen. Die Zigeunerin sieht verschlafen hinüber. Obwohl sie eigentlich nichts versteht, lacht sie erst leise mit, bis auch sie schließlich, angesteckt vom heiseren Luftgejapse, ihre goldenen Kronen herzeigt.

»Der Schäferhund meines Freundes war genauso«, erzählt sie lachend der Zigeunerin. »Er bellte jeden an, der sich seinem Revier näherte. Die Postboten kamen schon nicht mehr, und Gäste riefen vorher an, damit die Eltern das Tier wegschlossen.« Sie lacht, klammert sich am Bett fest. »Auch wenn *ich* unangemeldet an der Tür klingelte, bellte das ganze Haus. Die Mutter öffnete dann einen kleinen Spalt, aber der zappelnde Fellhaufen zwängte den Kopf, die Zähne fletschend, durch ihre Beine und bellte um sein Leben. Wenn er mich endlich erkannt hatte, stockte er kurz, überlegte: Was tun? Die Frau ist ja gar kein Feind – und bellte dann noch irrer in den Vorgarten hinein, um sich keine Blöße zu geben.« Während sie allmählich ruhiger wird und sich das Gesicht trocken wischt, überschlägt sich die Zigeunerin in der Ecke fast, lacht endlos, wirft den Kopf nach hinten, steht auf, lacht, öffnet die Tür, lacht: »Ich nix verstehen Deutsch!« lacht und verschwindet. »Nicht barfuß rausgehen!« Aber die Türen sind schalldicht. Jetzt ist sie allein. Sie bindet ihr Hemd neu, schüttelt das Kissen auf und legt sich auf die Seite. Es ist 8.58 Uhr. Die Sonne blendet, daß sie die Augen schließen muß.

Ihre erste große Liebe: Sie waren ein auffällig ungleiches Romeo-und-Julia-Paar gewesen. Sie fand ihn schön, den »Langen« mit seinen abstehenden Ohren, den dünnen, strohblonden Haaren und meerblauen Augen. Sie liebte seine dürren langen Beine und besonders die dünnhäutigen knochigen nervösen Hände. Ob er die Rothändle hielt oder den Queue, das Steuer seiner Ente oder den Tennisschläger, sie bekam Genickstarre vor Bewunderung. Insgeheim war sie stolz, daß so ein schöner neunzehnjähriger Mann sie überall als seine große Liebe vorstellte. Sie trafen sich vor der Schule, in der Pause, nach der Schule. Bis zum Abitur waren sie unzertrennlich. Nur ihre Eltern durften nichts von ihm erfahren. Sie wollten einen Türken für sie. »Gleiches gehört zu Gleichem«, sagte die Mutter. Dabei fühlte sie sich ihm so »gleich« wie niemandem zuvor. Beide sahen sie wild und unangepaßt aus, waren aber in Wirklichkeit schüchtern und brav. Er verstand ihre Flucht von Daheim und versuchte, ihr schlechtes Gewissen zu beruhigen. »Es lebe die Internationale«, lachte er, wenn sie mit weichem Fladenbrot aus der Markthalle kam. Er war ein guter Mathematiker, hatte reiche Eltern, sprach oft über Revolution und Basisdemokratie. Von ihrer gemeinsamen Reise in ihren Geburtsort durfte niemand wissen. Ihre Verbindung war eine »sündige Schande«. In dem kleinen Dorf fiel der weiße 2CV zwar auf, aber mit Sonnenbrille und Kopftuch verkleidet erkannte niemand das Mädchen von früher. Sie fuhren zur Mittagszeit. Da suchen sich sogar die Hühner, Katzen und Hunde schattige Plätze. Die Menschen halten höchstens den Kopf aus den kühlen Räumen in die sengende Hitze. Da sie niemanden besuchen durfte, zeigte sie ihm aus dem Auto heraus das Haus ihrer Großeltern auf der Hangspitze, in dem sie den größten Teil ihrer sieben Kinderjahre verbracht hatte. Den wilden Fluß im Tal, zu dem sie ihre beiden Onkel mitnahmen und wo sie auf die Wasserbüffel aufpassen durfte. Er lag da wie flüssiges Blei, sie wünschte, sie hätte ihn nach ihrer Zukunft fragen können. Er hatte ihre ersten Schritte gesehen, hatte ihre ersten Sprechversuche gehört.

Das Besondere an diesem Tal war das »Berglein«, wie die Jugendlichen ihren Treffpunkt getauft hatten. Es war ein kleiner Hügel, etwa zwanzig Meter hoch und breit und vielleicht siebzig Meter lang, in Form eines großen Sandkuchens mit je drei kleinen Maulbeerbäumen an den Längsseiten. Auf der zum Fluß geneigten Seite, vor den Blicken des Dorfes geschützt, hatten sich die Mädchen und Jungen schon vor langer Zeit eine Mulde gegraben, in der, wenn es einmal regnete, wie auf dem ganzen »Berglein« schöner, dichter Rasen wuchs.

Hier, an »ihrem Platz«, verabredeten sich die Kinder und Jugendlichen zu den ersten Plaudereien, den ersten Abenteuern zwei- oder dreimal in der Woche. Nach getaner Arbeit wuschen und frisierten sie sich, wechselten die verschwitzte Kleidung. Dann eine Handvoll von dem obligaten, nach Nelken und Zitronen riechenden Parfüm über Nakken, Handgelenke und Beine, und sie flanierten, immer in Begleitung eines jüngeren Verwandten, einer Nichte oder eines Neffen, zielstrebig zu »ihrem Platz«. Ihre jüngste Tante, die »kleine Hexe«, die ihren Spott wie Pralinen unter die Leute verteilte und die die einzige Blonde in der Sippe war, nahm immer sie mit. Sie erinnerte sich, wie aufgeregt sie damals war. Nur dieses allgegenwärtige Parfüm, diese süße Zitronendusche, war ihr zuwider. Dieser Geruch von zehn bis fünfzehn Jugendlichen in der Mulde führte bei ihr fast zu Vergiftungserscheinungen. Ihr wurde schwindelig und übel. Den anderen Nichten und Neffen erging es ähnlich, denn sobald sich die »Großen« versammelt hatten, kletterten die Kleinen die Steilseite hinunter und spielten unten Steinewerfen oder Murmelrollen. Sie ging sehr gerne mit der Tante, auch wenn der kleine Spaziergang meist mit einem Gerangel verbunden war. Die Tante wollte nämlich das Mädchen immer an der rechten Seite halten, das Mädchen aber konnte das Knacken ihres Hüftgelenks direkt neben dem Ohr nicht ertragen. So wechselte sie hintenherum auf die linke Seite, die nicht knackte. Das wiederum störte die Gewohnheit der Tante, mit dem linken Arm zu schlendern, ihn lässig von vorn nach hinten zu schwingen. Also nahm sie sie nach wenigen Schritten vornherum wieder auf die rechte Seite. Das wiederholte sich ohne ein Wort, die Tante summte und knackte vor sich hin, und die Kleine drehte sich wie ein Karussel.

Die Tscherkessen sind in ihren Sitten großzügiger und freier als die meisten anderen Volksstämme in der Türkei. Da wird man nicht »versprochen«, da dürfen sich die jungen Frauen und Männer »umsehen« und den Geeigneten oder die Geeignete »ausgucken«. Sie heiraten in der Regel auch später als Lazen, Türken oder Kurden, erst zwischen 22 und 25 Jahren. Die Mutter war 26 Jahre, die mittlere Tante sogar 35, die beiden Onkel bereits um die 40, als sie heirateten. Nur die jüngste Tante, die »kleine Hexe«, hat sich mit 22 Jahren von ihrem »Ausgesuchten« entführen lassen. Sie wollte nicht warten, bis die »Gräfin«, wie sie die mittlere Tante nannte, endlich ihren »Prinzen« gefunden hatte. Die »Gräfin« hatte am meisten unter dem Spott der »kleinen Hexe« zu leiden. Sie war die fragilste, feinste von allen, die selbst bei der schwersten Arbeit, dem Dreschen auf der Tenne, immer gut frisiert war. Die Hände legte sie abends in eine Schale Joghurt. Das kühlte und pflegte zugleich. Sie aß als einzige mit abgespreiztem kleinem Finger, nahm nie große Bissen. Eine hochgradig sensible Frau mit vollen Lippen, hohen Wangenknochen, mit Augen so groß und schwarz wie Oliven, die kräftigen dichten Haare trug sie nie offen, die breiten Augenbrauen leicht geschwungen wie die hügelige Landschaft, in die sie bis in die Nacht hineinstarrte. Nach ihrer Heirat mit einem Laz, einem hochgewachsenen dürren Mann mit auffallend langer Nase und pockennarbigem Gesicht, der in größter Hitze Anzug und Krawatte trug und fortwährend die schwarzen Schuhe entstaubte, bekam sie schweres Asthma. Die Geburt ihrer zwei Kinder war jedesmal lebensgefährlich. Die mittlere Tante war nie zum »Berglein« mitgekommen. Lieber saß sie auf der Wiese vor dem Haus unter dem großen Maulbeerbaum und sah den Vorbeigehenden zu.

Sie fuhren vom Fluß weg an der Dorfschule rechts vorbei über die staubige, mit Schlaglöchern übersäte Straße zur Haselnußplantage der Großeltern. Von dem brüchigen Bretterverschlag aus, einem improvisierten Zaun, der das Eigentum begrenzte, sah sie erstmals nach elf Jahren den wackeligen Hochsitz wieder, von dem aus der Onkel die Nußplantage beobachtete, um Diebe abzuschrecken. Der Hochsitz schien ihr geschrumpft. Wie oft war sie als Fünfjährige diese endlose Leiter hochgeklettert und hatte durch die Zahnlücken gelispelt: »Onkel, das Mittagessen.« Dann durfte sie in die strohbedeckte, mit braunen Decken ausgelegte stickige Höhle kriechen und sich ausruhen. Meist sang ihr der jüngere Onkel ein lustiges Lied vor oder schenkte ihr ein Kaugummi aus Harz. Obwohl er ihr die Nüsse verboten hatte, pflückte sie jedes Mal auf dem Heimweg die Schürze voll. Die Schalen der unreifen Früchte waren weich, und sie knackte sie mit den letzten Milchzähnen. Das Wasser lief ihr im Mund zusammen, wenn sie die Nüsse am liebsten mit der noch unreifen weißen Haut verschlang. Danach rumpelte es im Bauch, und sie verschwand auf dem Plumpsklo hinter dem ·Haus. Die Mutter und Großmutter lächelten kopfschüttelnd, aber gesagt haben sie nie etwas.

Vergessend, daß sie nicht mehr das kleine Kind war, bog sie zwei Latten des Zauns auseinander, kroch durch das enge Loch auf dem Boden bis zum nächsten Baum, breitete das Kopftuch aus und rupfte gierig Früchte, Blätter und Zweige herunter. Der Baum wackelte. Plötzlich eine Stimme: »He da!« Der jüngere Onkel saß immer noch da oben. Der Lustigste in der Familie und der Kräftigste. Es hieß, er könne ein ausgewachsenes Pferd auf seinen Schultern heben. Schnell knotete sie das Kopftuch zusammen und kroch zurück. In Gedanken aber kletterte sie zu ihm hoch in die nach Schweiß stinkende Höhle. Vielleicht hätte er mich wieder gedrückt, dachte sie. Er war ein warmherziger, großzügiger Mensch. »He da!« Wenn er Wache schob, klang seine Stimme streng. Sie zwängte sich durch die Latten und flüchtete.

Wie spät mag es sein? Aber die Frau will nicht auf die Uhr sehen. Es ist drückend heiß. Sie läßt die Augen geschlossen, versucht ruhig zu atmen.

Der jüngere Onkel, der kräftigste, war für die schweren Arbeiten zuständig gewesen. Obwohl die Ärzte ihn wegen seines viel zu hohen Blutdrucks ernsthaft gemahnt hatten, kürzer zu treten, spottete er nur über sie: »Allah hat mich geschaffen, und Allah wird mich holen!« Er stand in der Früh um vier Uhr auf, betete, aß zum Frühstück ein halbes Maisbrot, Schafskäse, Oliven, vermischte den Milchrahm mit Rosenmarmelade und trank seinen schwarzen Tee. Dann küßte er seine Tochter und die beiden Jungen auf die Stirn und flüsterte seiner Frau ein »Bis später« zu, nahm das Bündel mit dem Essen, das Taschentuch, das er an den Ecken verknotet als Sonnenschutz brauchte, und ging aufs Maisfeld. In betäubender Hitze sammelte er die Kolben ein, schleppte und füllte sie in den Treckeranhänger, schnitt und stapelte die

Stengel zu großen Haufen zusammen. Sein älterer Bruder fuhr die vollen Wagen zur Scheune und sortierte dort den Mais. Sein Bandscheibenleiden zwang ihn zu den leichteren Arbeiten. Abends kehrten sie gemeinsam still und müde heim, zogen Wasser aus dem Brunnen und wuschen sich den gröbsten Staub vom Körper. Der Jüngere glühte wie die untergehende Sonne, hatte große Atemnot und legte sich früh zu seinen Kindern. Das Einholen der Ernte zwang zu größter Disziplin. Jeder Maiskolben, jedes Maiskörnchen bringt auf dem Markt das Geld zum Überwintern. Als er eines Morgens nicht wie gewohnt bei Sonnenaufgang auf dem Boden hockte und betete, ging seine Frau ihn wecken. Sie nahm die Petroleumlampe mit. Als der Lichtschein auf das Gesicht ihres Mannes fiel, schrie sie auf. Der ältere Bruder kam zur Hilfe. Weinend legten sie die noch schlafenden Kinder in ein anderes Zimmer hinüber. Das Gesicht war blau angelaufen, die Zunge hing heraus, er lag unbeweglich da. Der jüngste Onkel, 51 Jahre, hatte sich zu Tode gearbeitet.

Auf der Rückfahrt platzten kurz hintereinander zwei Reifen. Und weil sie keinen Ersatzreifen mehr hatten, saßen sie mitten in dem größten Verkehrskreisel Istanbuls fest. Ein paar Jugendliche kamen von den anliegenden Teehäusern angelaufen und schoben den 2 CV zur Seite. Sie halfen dem Paar, den Abschleppdienst zu organisieren, eine Werkstatt zu finden. Erschöpft von der Fahrt und deprimiert über die unerwarteten Unkosten sahen sie, das Reisegepäck zwischen den Beinen, dem davongeschleppten Auto nach. Ein besonders hilfsbereiter junger Türke brachte etwas zu essen und zu trinken. »Wo schlaft ihr heute nacht?« fragte er. »Wir müssen im Auto schlafen. Wir haben kein Geld mehr«, antwortete sie. »Das kommt überhaupt nicht in Frage. Ihr seid meine Gäste.« Er bestand darauf, daß sie gleich mitkommen sollten. »Im Geschäft ist viel Platz.« Sein Bruder war Friseur. »Hier, nach deutscher Methode«, sagte er und schüttelte den beiden seine Dauerwelle ins Gesicht. Dann riß er die Druckknöpfe seiner Jeansjacke auf und zeigte voller Stolz das weiße T-Shirt mit einem Portrait von Beckenbauer. »Aus München. Haben mir Freunde geschickt!« Er nahm das Gepäck ab und spornte sie erneut an: »Kommt! Ihr könnt euch bald hinlegen und ausruhen!« In einer schmalen Nebenstraße öffnete er umständlich mit drei verschiedenen Schlüsseln eine Eisentür. Im fensterlosen Flur rief er abermals ganz aufgeregt: »Kommt! Ihr seid meine Gäste!«

Unwillkürlich hatte sie die Treppe nach oben gesucht. Aber die einzige Treppe führte in den Keller. Sie gingen ihm nach. Es roch feucht, nach
Schimmel, aber unten war tatsächlich eine Art Fri-
siersalon. Sie waren durch den Hintereingang hin-
eingekommen. Vier Stühle standen zur Wand ge-
dreht, vier kleine Spiegel davor, ein Servierwagen
mit Schere, Shampoo, Rasiermesser und Locken-
wickler, hinter einem Paravent drei zusammenge-
schobene Betten. Der Türke legte sich in das linke
Bett, das Paar daneben, der Freund in die Mitte,
beide in ihren Kleidern. Sie schliefen bald ein. Irgendwann wachte sie auf. Zwischen ihren Beinen
lag der Türke und versuchte, ihr die Jeans herun-
terzuziehen. Aus Angst, er könnte ein Messer ziehen, wagte sie sich nicht zu bewegen. Der Mann
zerrte und zog immer ungeduldiger an der hauten-
gen Hose. Sie kniff ihren Freund in die Hand, in
den Arm, ins Gesicht, aber er wachte nicht auf. Sie
spürte ihren Puls im Hals, in den Ohren, in den
Augen. Der Mann wurde wütend, fluchte,
schimpfte und riß, ohne noch darauf zu achten,
daß er die beiden wecken könnte, mit aller Kraft an
den Jeans. Geistesabwesend krallte sie sich in seinen Haaren fest und zog um ihr Leben daran.
Nach einem kurzen Aufschrei packte er sie an den
Gelenken: »Wenn du es mit einem Deutschen trei-

ben kannst, dann auch mit mir.« Sie ließ nicht los und riß so fest sie konnte. »Na komm, zier' dich nicht. Du bist doch keine Türkin mehr.« Pause. Er fummelte weiter. Er schaffte es gerade, die Hose über die Hüften zu ziehen, da schrie sie, schrie aus dem ganzen Körper, schrie aus jeder Pore. Der Türke hatte sich so sehr erschrocken, daß er vom Bett heruntergefallen war. »Ich reiß' dir das Hirn aus deinem perversen Schädel! Du Ratte! Ratte!« Der Freund wachte auf, sah das Büschel Haare in ihrer Hand, sah wie er mit beiden Händen seinen Kopf umklammerte, stand auf, zog sich an, nahm das Gepäck und sagte: »Komm, wir gehen.« – Sie setzten sich ins Auto, das vor der Werkstatt stand. Immer wieder stieg sie aus, ging zur Wasser-pumpe, wusch sich die Hände, kam zurück, setzte sich wortlos auf den Beifahrersitz. Gegen Morgen-grauen sagte er: »Ich hätte doch nichts machen können.« Sie schwieg. Er: »Was hätte ich denn ma-chen sollen?« Sie schwieg. Nach der Rückkehr in Deutschland ging jeder seiner Wege.

Nach dem Abitur hatte sie wieder nach Hause ge-hen dürfen. Die Spekulation, ohne Geld könne sie nur in der Gosse landen oder bald zurückgekro-chen kommen, hatte ihren Überlebenswillen forciert. Sie hatte sich als Wochenendkellnerin die Schule finanzieren können. Diese Kraft und der bestandene Schulabschluß hatten die Familie versöhnt. Die »Nestflüchterin« kam oft zurück und blieb dann mehrere Tage. Die beiden Schwestern setzten sich wieder auf die Fensterbank, aber das Draußen war nur noch Begleitmusik ihrer Gespräche. In den 1 1/2 Jahren Trennung waren beide unabhängig voneinander erwachsen geworden. Die Jüngere: »Hätten wir das nicht auch zusammen geschafft, hier?« – »Hier auf der Fensterbank sicher nicht. Zuschauen macht hungrig.« – »Ich fühl' mich wie zweigeteilt. Der eine Teil von mir hängt irgendwo in der ›gelben Luft‹, von der ich hier drinnen dauernd höre, der andere Teil da draußen in der Welt, die ich täglich sehe.« – »Geh weg, es tut gut – und weh.« – »Ich kann nicht. Die Eltern fühlen sich von dir verraten.« Die Ältere: »Was soll ich verraten haben? Unsere Herkunft? Dann haben sie sie auch verraten, als sie weggingen.« – »Du weißt genau, daß wir in der Türkei spätestens mit dreizehn hätten mitverdienen müssen. Trotzdem haben wir eine Verantwortung für unsere Herkunft.« – »Hätten die ›Mächtigen‹ in der Türkei sich verantwortlich verhalten, hätten sie Arbeitsplätze für die Menschen geschaffen und sie nicht für 640 DM pro Mann verkauft. Wären die chilenischen Putschisten verantwortungsvoll gewesen, hätten sie nicht Tausende ins Stadion getrieben und ermordet, wären die Amerikaner... hätte Vietnam, Hiroschima, Nagasaki...« – »Das ist keine Antwort.« – »Ich weiß nicht, was Heimat ist. Ein Haltegriff vielleicht, um nicht umzufallen.« – Die jüngere Schwester: »Vater und Mutter sind hoffnungslos geworden. Stundenlang sitzen sie abends stumm da. Vielleicht gehe ich mit ihnen zurück.«

Es ist 9.07 Uhr. Sie klingelt nach der Hebamme. Jetzt hätte sie gerne den Kaiserwalzer gehört. Sommer, Sonne, »singende, tanzende« Natur – da braucht sie den Kaiserwalzer. Mit den ersten Frühlingsstrahlen hatte der Vater an den arbeitsfreien Wochenenden um die Mittagszeit herum immer Strauß-Walzer aufgelegt. »Haben Sie geklingelt?« fragt ein Pfleger. Ein dünner Mensch in weißer Jacke und Hose, die Schultern hochgezogen, die langen Arme hängen ihm wie angenäht am steifen Körper. »Brauchen Sie Hilfe?« – »Wenn ich ja sage, fällt der glatt in Ohnmacht«, denkt die Schwangere. »Kommt der Narkosearzt nun, oder kommt er nicht?« – »Ich schick' Ihnen die Hebamme. Die weiß Bescheid. Einen Moment, ja?«

Der dünne Mensch geht so leise wie er gekommen war zur Tür hinaus.

»Ich bin so neugierig, wie du sein wirst. Ein Mädchen bist du! Einen ovalen Kopf hast du! Der Ultraschall machts möglich. Aber was für Augen? Braun wie meine, oder grün, wie die deines Vaters? Hast du dunkles oder helles Haar? Meine Freundin aus Frankfurt ist überzeugt, daß du mir ähnlich sein wirst. So oft, wie sie mich in den letzten Monaten besucht hat, habe ich sie nicht einmal in Frankfurt gesehen, wo wir vier Jahre Tür an Tür gewohnt haben. Erst vor einem Monat hat sie das erste Mal etwas über ihre Vergangenheit erzählt. Sie kam überraschend an einem Mittwochnachmittag vorbei, brachte Nüsse und Obst und eine Riesenportion Eis mit. Ich kochte uns Tee und stellte noch einen Stuhl neben meine Liege in den Garten. Sie zog Jacke und Schuhe aus, band die krausen Haare aus dem Gesicht und legte sich auf den Rasen, streckte die Arme der Sonne entgegen, als ob sie die Wärme in sich hineinziehen wollte. Wir sprachen kaum, schleckten das Eis, tranken Tee, dösten im Vogelgezwitscher. Ab und zu stützte sie sich auf die Ellenbogen, zündete eine Lucky Strike an und beobachtete die Rundung an meinem Körper, aber unkonzentriert, als ob sie vor sich hinträumte. Ich war seit zwei Tagen allein und genoß ihre Gegenwart. Sie wirkt fast ein wenig majestätisch, eine Salondame alten Stils. Ihre Erscheinung ist stets unauffällig korrekt, selbst ein Seidenschal flattert bei ihr nicht. Sie sucht die Nähe zu Künstlern, kennt enorm viele unterschiedliche Menschen und versammelt sie regelmäßig bei ihren Parties. Dann wird geschlemmt und die Gerüchtebörse in Gang gebracht, aber auf eine angenehme und freundliche Weise. Ich habe sie noch nie schlecht über jemanden reden hören. Tun es andere, lächelt sie nur, ob zustimmend oder nicht, bleibt offen. Sie lebt in einer kunstvoll arrangierten Ordnung, ohne Improvisationen oder Zufälligkeiten. Immer wieder hat sie die verschiedensten Berufsausbildungen begonnen, aber nie zu Ende geführt: Versicherungs- oder Bankkaufmann, Kunststudium oder Botschaftsangestellte. Trotzdem kann sie ihre aufwendigen Interessen gut finanzieren – mit Jobs, die sich zufällig ergeben. Sie ist mager und dunkelhäutig, stammt aus dem Süd-Osten der Türkei, nahe der syrischen Grenze. Bis in die Dunkelheit hinein lag sie an diesem Nachmittag im Gras und rauchte eine nach der anderen. »Als ich sechzehn war«, begann sie unvermittelt zu erzählen, »als ich sechzehn war, beschlossen meine Eltern, ich solle mit meinem Onkel zusammen nach Deutschland fahren, unter seiner Aufsicht zwei Jahre arbeiten,

Geld sparen und dann zum Heiraten zurückkommen. Von den drei Mädchen bin ich die älteste, und jedes brauchte eine Aussteuer, die meine Eltern nicht bezahlen konnten. Man erzählte mir, daß es hier sehr kalt sei. Ich strickte mir zwei Pullover, eine Jacke, nähte einen Rock aus dickem Wollstoff. Bepackt mit einem kleinen Koffer stieg ich an der Hand meines Onkels im Hochsommer 1969 hier in Köln aus dem Zug. Es war genauso heiß wie heute. Ich habe geschwitzt und mich geschämt, mich geschämt und geschwitzt. Die Menschen sahen riesig groß und sauber aus. Unbekannte Landsleute holten uns am Zug ab und lotsten uns durch das Gewühl der Bahnhofshalle zum Ausgang. Als ich den Dom sah, wurde mir schwindelig, und ich sackte auf dem Koffer zusammen. Mein Onkel riß mich am Arm hoch: »Du hast wohl kein Schamgefühl.« Wie einen Esel zog er mich hinter sich her. Ich schwitzte und schämte mich. Menschen mit nackten Armen und Beinen liefen an uns vorbei. Den Anblick der beiden Türme werde ich nie vergessen. Unsere Minarette kratzen schon am Himmel, aber die schienen ihn zu durchbohren. Ich kam mir ganz winzig vor.

Mein Onkel fand eine Einzimmerwohnung mit Kochecke und Klo auf halber Treppe am Eigelstein. Gewaschen haben wir uns in einer roten Plastikwanne. Das erste Jahr habe ich bei Ford mitarbeiten dürfen, habe geputzt, in der Kantine Essen verteilt und damit 850 DM verdient, 350 DM mußte ich ihm abgeben, 500 DM habe ich gespart. Manchmal weniger, wenn ich mir etwas Neues zum Anziehen gekauft habe.« Plötzlich spuckte sie aus. »Verrecken soll er! Blind und taub soll er werden und sich mit seiner Geilheit für alle Ewigkeit im Staub wälzen. Schmoren soll er in der Hölle! Vergewaltigt hat er mich, dieser Hundesohn. Eingeschlossen. Meine Briefe nicht weggeschickt. Ich schob die Betten auseinander, er sie wieder zusammen. Ich schloß mich im Klo ein, er versteckte alle Schlüssel. Ich wurde schwanger. Ich habe gehungert und mir den Bauch eingeschnürt, keiner hat was gemerkt. Ich versuchte abzuhauen, er hat mich ohnmächtig geschlagen. Eines Nachts, Ende Januar '71 habe ich meinen Koffer gepackt. Kurz bevor er aus der Nachtschicht kam, gegen 8 Uhr, stand ich schon an der Tür, die Handtasche unter dem Pullover, den Koffer hatte ich an einem Seil in den Hinterhof heruntergelassen. Ich hörte seine Schritte die Treppe heraufschlürfen, hörte, wie er außer Atem den Schlüssel im Schloß umdrehte. Eiskalte Lippen hatte ich vor Angst. Als er von drinnen die Tür gerade wieder abschließen wollte, habe ich ihm den vollen Mülleimer vor die Füße gestellt. Mit der flachen Hand hat er mich an der Stirn weggeschubst: »Soll ich dir noch den Arsch abwischen? Bring das selber runter!« Unten habe ich den Koffer geholt und bin zum Bahnhof gerannt. Ich wußte, daß in Holland ein anonymer Schwangerschaftsabbruch möglich war. Danach bin ich ein Jahr dort geblieben. Meine Eltern habe ich seitdem nicht mehr gesehen. Eine deutsche Freundin ist in mein Dorf gefahren und hat sich umgehört. Meine Schwestern sind verheiratet, mein Vater ist gestorben, und meine Mutter liegt krank bei ihrem Bruder.« Lange Pause. »Ich kann keine Kinder mehr kriegen.«

Die Sonne glänzt wie ein großer Bernstein, die Blätter des riesigen Kastanienbaumes wippen vor sich hin. Der Blick aus dem Fenster gleicht einem Stilleben auf einer Kitschpostkarte. Sie summt den Kaiserwalzer vor sich hin. Der graue Linoleumboden wird zum Mosaikparkett, die Vorhänge zu Gästen des Neujahrskonzerts und das Betten-Ballett schwebt überschwenglich in weißem Tüll zu den Klängen der Wiener Philharmoniker. In ihrer Vorstellung tanzt sie mit. Sie konnte die klassischen Tänze schon mit dreizehn Jahren. Der Vater hatte seine beiden Töchter unterrichtet. Walzer,

Samba, Rumba und Tango. »Meine Mädchen brauchen nicht in die Tanzschule. Sie bekommen Privatunterricht«, rief er stolz, wenn er sich atemlos in die Couch fallen ließ. Die beiden Töchter bettelten um Ballettstunden, aber dafür reichte das Geld nicht. Am stärksten litt die Jüngere darunter. Ihre Freundin besuchte sie manchmal nach dem Tanzunterricht mit den rosa Spitzenschuhen. Danach saß die Schwester oft regungslos auf der Fensterbank und stierte hinaus, die Beine angezogen und fest umschlungen. Wenn es draußen regnete, holte sie alte Gardinen aus dem Keller, band sich ein Tutu um die Taille, legte den Donauwalzer auf und tanzte den Solo-Part auf der Vorderbühne des Opernhauses, tippelte auf den Spitzen der mit Watte ausgestopften Hausschuhe, hüpfte, drehte Pirouetten, verbeugte sich mit gekonntem Ausfallschritt vor dem tobenden Publikum und schwebte mit leuchtenden Augen durch die Zimmertür hinter die Bühne. Für den Frühlingswalzer wünschte sie sich einen Pas de deux. Die ältere Schwester mußte den männlichen Part übernehmen und sie, so oft es ging, in die Luft heben. Dabei streckte sie den ganzen Körper bis zu den Zehen, warf die Arme weit auseinander und hob den Kopf zu den obersten Rängen, um sich anschließend in tiefer Verbeugung für die Ovationen zu bedanken. Die heile Walzerwelt machte alle Träume möglich. Mit verschworenen Blicken beschlossen sie eines Tages, ihre Träume endlich zu verwirklichen. Sie sammelten ihr ganzes Taschengeld zusammen und gingen Hand in Hand, ganz aufgeregt wegen ihres Geheimnisses, zu der Lottoannahmestelle. In einem winzigen, dunklen Raum saß dort seit ewigen Zeiten eine blasse, immer fein frisierte Frau in beigen Nyltest-Blusen. Ein saurer Schweißgeruch mischte sich mit dem kalten Rauch. »Klein aber mein«, sagte sie jedem, ob er es hören wollte oder nicht. Sie hatte sich alles in Reichweite zurechtgelegt, so daß sie, ohne aufzustehen, den Kaffee kochen, das Mittagessen aufwärmen, das Geschirr abwaschen und die Kunden bedienen konnte. Auf der Kommode rechts neben ihr stand ein kleiner Kocher, daneben die Kaffeemaschine mit Zucker- und Milchdose. In den Schubladen lagen Teller, Tassen und Besteck, links neben ihr ein Regal mit Zigaretten und Feuerzeugen zum Verkauf, hinter ihr ein kleines Waschbecken mit einem Boiler darunter, ein kleiner abgeblätterter Spiegel hing schief darüber. Den Arbeitsbereich hatte sie sich ordentlich auf einem Tapeziertisch vor sich aufgebaut: Registrierkasse, der Aschenbecher, den sie ständig in den Papierkorb vor ihren Füßen ausleerte, und der Ständer mit den Lottoscheinen. Etwas unsicher nahmen sich die Mädchen einen Schein und einen Kugelschreiber. Verschwörerisch beugten sie die Köpfe über das Blatt, flüsterten Zauberformeln und kreuzten ihre magischen sechs Zahlen an. Die Eltern würden auf einen Schlag reich werden, und sie könnten dann in die Ballettschule. Siegesgewiß und erleichtert – der liebe Gott würde ihnen sicher helfen – hüpften sie nach Hause zurück. In den folgenden zwei Nächten schliefen sie zusammen in einem Bett, den Schein unter dem Kopfkissen. Aber der Vater erlaubte ihnen nicht, am Samstag bis zur Ziehung der Lottozahlen aufzubleiben. »Bestimmt ein Omen, damit wir nicht übermütig werden«, dachten sie und wickelten die Gebetskette der Mutter um den Schein. Sonntag früh huschten sie ins Wohnzimmer, rissen die Fernsehzeitung, auf der der Vater immer die Zahlen notierte, vom Tisch und verschwanden wieder in ihr Zimmer. Kein Sechser! Nicht einmal ein Dreier! Nur eine einzige Zahl, die Sieben. Sie waren sicher, daß mußte eine Bedeutung haben. »Einmal ist keinmal«, sagte die Ältere, und sie beschlossen, noch einmal zu spielen. Nachdem sie abermals nicht gewonnen hatten, waren sie überzeugt, daß der Hinweis Sieben sie verpflichtete, sieben Mal zu tippen. Als sie nach der achten Woche immer noch keine Millionäre waren, gaben sie auf und tanzten den Pas de deux im Wohnzimmer weiterhin auf ausgestopften Pantoffeln.

Ein anderes Mal saßen die Mädchen auf der Bank des Spielplatzes hinter ihrem Wohnblock und sahen den Kindern im Sandkasten zu, als sich ein alter Mann zu ihnen setzte. Hier war am Nachmittag der Treffpunkt von Müttern mit ihren Kleinkindern, von älteren Leuten, von Halbstarken und kichernden Mädchen. Der alte Mann nickte den Schwestern zu und bewegte die Lippen, ohne daß ein Ton zu hören war. Sie hatten ihn schon öfter gesehen und dachten, er sei vielleicht stumm. Er paßte irgendwie nicht in das Wohnsilo, in dem nur städtische Angestellte wohnten. Er war eine leise Erscheinung mit langen, weißen Haaren, sonnengegerbter Haut, breiten Schultern und auffallend kräftigen Händen. Er trug nur Rollkragenpullover und englische Tweedjacken. Immer wieder sah er konzentriert auf seine Uhr und anschließend zum Fenster im zweiten Stock des gelben Klinkerbaus hinter ihm. Seine Augen wanderten von den Kindern zu den Müttern und wieder zurück. Als eines der Kinder aus der Begrenzung des Sandkastens herauskrabbelte, kam er der Mutter zuvor und hob den Kleinen zurück zu seinen Schaufeln und

Förmchen. Dann schaute er wieder zum Fenster hoch und setzte sich zu den Mädchen. Nach einer Weile klopfte es von oben. Eine weißhaarige Frau im rosa Kleid winkte herunter. Er drehte sich zu den beiden Schwestern, griff mit der rechten Hand in die Hosentasche, führte ein metallenes, rechteckiges Teil an den Hals, zog mit der Linken den Rollkragen etwas herunter und bewegte die Lippen: »Mögt ihr Erdbeerkuchen mit Schlagsahne und warmen Kakao?« Die Mädchen erschraken. Der Mann hatte eine Stimme wie der Außerirdische in »Raumschiff Orion«. »Meine Frau hat frischen Kuchen gebacken, der wird euch schmekken«, schnorchelte es aus der Halsgegend. Jedesmal wenn er atmete, bewegte sich eine kleine Membrane vor dem etwa einen Zentimeter großen Loch unter dem Adamsapfel. »Na, kommt«, knarrte er wieder, stand auf und streckte ihnen die Hand entgegen. Die beiden folgten ihm zögernd. Im Treppenhaus sagte er: »Das ist ihr Hobby. Jeden Tag backt sie nach dem Mittagessen einen Kuchen.« In der Tür stand eine rundliche Frau in rosa Pantoffeln und freute sich: »Der Tisch ist schon gedeckt. Kommt doch rein.« Die Dreizimmerwohnung war eine Mischung aus Völkerkundemuseum und gutbürgerlicher Wohnidylle. Auf der hellen Auslegware lagen Perser-Teppiche, um den

Glastisch mit Häkeldeckchen war eine plüschige Couchlandschaft in Altrosa gruppiert. Von den Wänden, den Fenster- und Türbögen allerdings grinsten unzählige schwarze und bunte Holzmasken auf die Besucher. Auf kleinen Regalen standen aus Elfenbein geschnitzte Figuren und Tongefäße in verschiedensten Formen und Größen. Am Kopfende des Raumes, über der Sitzgarnitur, hing ein riesiges Poster in Schwarzweiß von Satchmo mit Trompete und weißem Taschentuch. Es roch nach Kakao. Auf dem Tisch dampften zwei Kannen aus weißem Porzellan mit rosa Röschen, in der Mitte des Tisches stand der Erdbeerkuchen. Am Kaffeetisch versuchten die Mädchen unauffällig die Köpfe nach den finsteren Masken zu verdrehen. »Ich war lange zur See. Hamburg – Elfenbeinküste. Danach war ich Beleuchtungsmeister im Theater«, knarrte der alte Mann und schob die Pulloverärmel hoch. Auf dem linken Unterarm sah man eine Schlange, die sich um eine Rose windet, auf dem rechten einen zum Angriff ansetzenden Tiger. »Mögt ihr Musik?« fragte er. Die Mädchen nickten. »Ich habe auch türkische Musik, Folklore und Klassisches«, erzählte er ganz aufgeregt und führte sie in den Nebenraum. Es sah aus wie in der Leih-Bücherei: volle Regale bis zur Decke, ein hölzerner Karteikasten voller abgegriffener, vergilbter Karten auf dem kleinen Tisch vor dem Fenster. Aber statt der Bücher: Schallplatten! Soviel in den Raum hineinpaßten, soweit das Auge sehen konnte, alles voller Schallplatten. »50 000 Stück!« Er nahm den Stimmverstärker in die linke Hand. Der bissige Tiger zeigte in die andere Richtung: »Da, Musik aus aller Welt.« Er griff eine Platte heraus, zog sie vorsichtig aus der Hülle, wischte den Staub ab und legte sie langsam auf den Plattenteller. Dabei sah er aus wie ein Medizinmann, der einen Heiltrank mischt. Dann hockte er sich auf den einzigen Sitzplatz, ein großes, buntes, mit Stickereien verziertes Lederkissen, und nickte den Mädchen zu, sich auf den Teppichboden zu setzen. »Das ist ein Lied über Istanbul. Ich war 1955 da. Und von Sommer '57 bis März '58 bin ich quer durch die Türkei gefahren, von Izmir nach Diarbakir.« Er sprach wie zu Gleichgesinnten, aber die beiden staunenden Schwestern kannten das Land und die Musik weniger als er. Sie konnten nur zuhören. Nach einer Weile sprang er auf, grinste hinterlistig und holte eine andere Platte. »Das ist das Neueste: Obla di, Obla da! The Beatles! Vier gute Jungs aus England!« Er hockte sich wieder hin, neugierig, ob das den Mädchen besser gefallen würde. In der Tat. Sie wippten mit den Füßen mit. Mit einer zufriedenen Geste strich er sich die weißen Haare aus der

Stirn. Seitdem trafen sie sich öfter auf dem Spielplatz, seine Frau klopfte zu neuem Obstkuchen hoch, und die drei verkrochen sich ins Paradies der Töne.

Die Uhr springt gerade auf 9.20 Uhr. »Habe Sie noch etwas Geduld, der Narkosearzt ist auf die Weg hierher.« Die sympathische Holländerin kippt das große Fenster und geht wieder hinaus. »Wenn Sie mich brauche, läute Sie einfach die Klingel.«

So eine Klingel hätte die Mutter damals gebraucht, als sie im Mai 1954 allein in einem Zimmer im staatlichen Krankenhaus in Ankara lag. Auf der Entbindungsstation für fünfzig Frauen gab es nur eine Schwester. Sie hatte noch zusätzlich die ambulanten Fälle in den überfüllten Gängen zu betreuen, telefonische Anfragen zu beantworten und die wartenden Angehörigen zu beruhigen. Nicht selten mußte sie sich den Weg freibitten, weil die Wartenden auf dem Boden hockten und ihr Picknick ausbreiteten, um sich die Wartezeit zu verkürzen. Die Siebenundzwanzigjährige lag auf einer schmalen Holzpritsche mit Matratze. Der Koffer voller selbstgenähter Kinderwäsche stand noch ungeöffnet auf dem einzigen Hocker neben dem Waschbecken. Das kleine Fenster war zugezogen.

Sie lag vier Stunden, bis die Wehen aussetzten, wartete, schlief dann erschöpft ein. In der Nacht wachte sie verschwitzt auf. Das Bett war restlos durchnäßt. Sie ahnte nicht, daß das Fruchtwasser ausgelaufen war und höchste Lebensgefahr bestand. Kraftlos, dem Gemurmel auf dem Gang lauschend, wartete sie auf die Schwester. Das Klappern ihrer Holzpantinen drang durch das Kippfenster über der Tür, aber sie ging vorbei. Die Frau betete, wartete und schlief wieder ein. Dann endlich fiel ein harter Lichtkegel durch den Spalt der geöffneten Tür in das dunkle Zimmer. Kaum daß die Schwester an das Bett getreten war, schrie sie quer durch die Station: »Schnell! Schnell! Die Frau hat überall blaue Flecken!« Während die Frau in den Kreißsaal geschoben wurde, bereiteten die alarmierten Ärzte alles vor. Zufällig war das Sauerstoffzelt in dieser Nacht auf der Entbindungsstation. Das Kind wurde mit Zange und Saugglocke aus der dahindämmernden Frau herausgezogen. Mutter und Kind haben überlebt. Vier Jahre später, bei der wieder sehr schweren Entbindung der dritten Tochter, war im staatlichen Krankenhaus von Ankara kein Sauerstoffzelt aufzutreiben. Das Kind starb.

»Ich erinnere mich noch genau. Ich saß mit meinem Sonntagskleid vor dem Haus im Staub, als meine Eltern auf den Anhänger eines Lastwagens stiegen, um zum Friedhof zu fahren. Mein Vater klammerte sich an meine kleine Schwester, meine Mutter taumelte blind hinter den paar Verwandten die zwei Stufen auf den Anhänger hoch. Grau wie Kitt saß sie neben einem kleinen, weißen Holzsarg, legte die Hand auf das Kopfende und starrte vor sich hin. Sie hat nicht einmal geschimpft, daß ich mich schmutzig gemacht hatte. – Hier hängt das Überleben nicht von einem Zufall ab. Und das ist gut so«, denkt sich die Schwangere.

Ein kurdischer Freund erzählte ihr, daß seine Mutter ihr erstes Kind auf dem Weg zum Arzt der nächsten Kleinstadt verloren hatte, das zweite beim Warten auf ihn und das dritte durch frühzeitiges Bluten, das nicht behandelt werden konnte. Als dann er, ein untergewichtiges 45 cm kurzes Bürschlein, den ersten Tag überlebt hatte, nannten ihn seine Eltern »Der, der lebt« (Yasar). Es scheint, als sei ihm sein Name ein Wegweiser für sein weiteres Leben gewesen. Schon als Fünfjähriger bettelte er die Ohren seiner Eltern voll, er wolle in die Schule. Als er sogar krank wurde, weil ihn niemand ernst nahm, brachte ihn der verstörte Vater zum Direktor der nächsten Kleinstadt Adjaman. Er wurde aufgenommen, und weil der morgendliche Weg von zwei Stunden zu beschwerlich gewesen wäre, blieb er bei seinem Onkel. Der kleine, dunkelhäutige Junge mit den engstehenden mißtrauischen Augen schlief im Laden des Onkels, eine Art kleiner Kiosk. Bis auf leichtverderbliche Lebensmittel wie Butter, Milch oder Käse konnte man dort alles kaufen, Zigaretten, Mehl, Stoffe, Keilriemen und Propangas. Und weil der Kleine besonders neugierig war und im Vergleich zu den anderen Kindern viel und gern las und zeichnete, schenkte ihm der Direktor einen Bleistift, einen Radiergummi und ein Schreibheft mit gelben Seiten. Diese seltene und außergewöhnliche Bestätigung spornte den Jugen so sehr an, daß er sich als Siebenjähriger mit einem französisch sprechenden Nachbarsjungen anfreundete, um dem Direktor einen Dankesbrief in Französisch schreiben zu können. »Je vais à l'école, je suis un garçon, merci.«

Ein paar Jahre später schien seine Glückssträhne abgerissen zu sein. Ein großer Hund, eine Mischung aus Bernhardiner und Hirtenhund, hatte ihn angesprungen und in den Bauch gebissen, so daß ihm das Fleisch in Fetzen herunterhing. Die

Eltern trauten sich nicht, ihn ins Krankenhaus zu bringen. Ein anderer Dorfjunge war schon im Krankenhaus an Tollwut gestorben. Als die siebentägige Spritzentherapie bei ihm nicht angeschlagen hatte, hatte man ihn in einen Zwinger gesteckt, aus dem noch niemand lebend herausgekommen war. Die Eltern holten Hodcas, alte Frauen, die Kräuter zusammenmixten, ließen Blei gießen, um die bösen Geister zu vertreiben. Aber es half alles nichts, der Junge wurde immer kranker, fiebriger, verlor immer mehr an Gewicht. Die Bauchdecke schwoll an wie ein halber Fußball, er fiel in Ohnmacht. Eingewickelt in bunte Steppdekken, brachten sie ihn schließlich doch mit einem Pferdewagen ins Krankenhaus. Zwei sogenannte Pfleger, die eigentlich mehr Hausmeister als gelernte Krankenpfleger waren, trugen den schmächtigen Jungen im Laufschritt ins nächste freie Zimmer, säuberten die Wunde mit Jod und schnitten den Eiter heraus. Die Eltern erstarrten in Demut vor den beiden Männern in weißen Anzügen. »Allah segne Eure Hände!« flüsterten sie. »Ganz eindeutig Tollwut!« sagte der kleinere von den beiden. »Mit Allahs Hilfe wird man sehen, ob er nach sieben Tagen wieder gesund wird.« Sieben Tage lang bekam er Antibiotika direkt in die Bauchdecke gespritzt. Aber es wurde nicht besser. Die

Eltern wickelten ihren einzigen Sohn wieder in die bunte Steppdecke und fuhren ihn zurück ins Dorf. Wieder ließen sie den Hodca und die alte Kräuterfrau kommen, und sie ließen wieder Blei gießen. Das ganze Dorf saß betend vor ihrer kleinen Lehmhütte. Sie schlachteten eine Ziege, holten den halluzinierenden Jungen heraus, tropften das noch warme Blut um seinen Körper. Die Mutter malte ihm ein rotes Kreuz auf die fiebrige Stirn. Das Opfer hatte die Götter milde gestimmt, der Junge überlebte. »Der, der lebt.«

Als fünfzehnjähriger Gymnasiast las er in der Zeitung, daß Deutschland Arbeitskräfte suche und in mehreren Städten Anwerbebüros aufgestellt habe. Die Behörden in Adjaman überwiesen ihn nach Istanbul. Aber das war bereits eine Weltreise von über tausend Kilometern. Ein junger Mann in seinem Alter war schon ein Erwachsener, der die Eltern und jüngeren Geschwister mitzuernähren hatte. Selbst den Bahnhof zu Hause hatte er vorher nur als Zeitungsverkäufer gesehen. Der Vater hatte ihm den Rat gegeben, auf keinen Fall in Kayseri den Zug zu verlassen, denn in Kayseri gäbe es nur Diebe und Betrüger. Er gehorchte. Der Zug hielt in Kayseri an, und er blieb sitzen, öffnete das Fenster nur einen kleinen Spalt. Es war heiß und stickig, doch obwohl er Durst und Hunger hatte, stieg er nicht aus. Auf dem Bahnsteig boten schreiende Verkäufer zahllose Köstlichkeiten an. »Melonen, frische Melonen!«, »Simit, warme, knusprige Simit!«, »Trauben, Bruder, die saftigsten Trauben! Die süßesten Trauben!« Ihm lief das Wasser im Mund zusammen, und er winkte den verdreckten, barfüßigen Schreihals mit kahlgeschorenem Kopf zu sich heran. Vorsichtig nach allen Seiten schauend drückte er das Fenster weiter herunter, damit er bequemer das Obst nehmen konnte. Der Junge fummelte umständlich ein paar Weintrauben in eine Tüte aus Zeitungspapier. »Zwei Lira, Bruder.« Er hielt die Hand zum Fenster hoch. Der mißtrauische Reisende gab ihm einen Zehn Lira-Schein, weil er kein Kleingeld finden konnte. Während der barfüßige Händler weiterhin umständlich in den Taschen seiner zerrissenen kurzen Hose herumsuchte, fuhr der Zug an. »Mein Geld!« schrie er aus dem Fenster. Aber der Junge machte keine Anstalten, sich zu beeilen. »Mein Geld!« brüllte es aus dem Dampf des davonfahrenden Zuges. Ohne eine sichtbare Regung drehte sich der Junge zu dem gerade neu einfahrenden Zug auf dem gegenüberliegenden Bahnsteig. »Die süßesten Trauben! Die saftigsten Trauben!«

In Istanbul angekommen, stellte er sich in die endlose Schlange der Wartenden vor dem Anwerbebüro. Auch hier fliegende Händler, die mit der Angst der Bewerber, nicht angenommen zu werden, ein Geschäft machten und Tabletten gegen Leberschäden, Salben gegen Ischias und Tropfen für die Augen anboten. An kleinen Ständen wurde gegen entsprechende Bezahlung der Blutdruck gemessen und Knoblauch verordnet. Vielleicht war das der Grund, warum die deutschen Ärzte die aus fernen Gegenden angereisten armen Bauern mit Mundschutz und spitzen Fingern untersuchten und diese wie eine Viehherde von einer Abteilung zur anderen stießen. Die Arbeitskräfte für den Bergbau, die Autoindustrie oder für eine der zahllosen anderen Fabriken, die, um ihre Aufträge erfüllen zu können, auf die Hilfsarbeiter aus der Türkei warteten, hatten durch und durch gesund zu sein.

Immer wieder wurden zusammengebrochene Männer hinausgetragen. Ihre Diagnose: untauglich. Aber sie hatten bereits ihren gesamten Besitz zu Geld gemacht, um die Reise in ein neues Leben anzutreten.

In Deutschland angekommen, hatte er das Glück, in einer der fünfundvierzig Familien unterzukommen, die je drei bis vier Untermieter aufnahmen. Die Vollpension kostete 500 DM, 150 bis 200 DM mußten die Untermieter selbst bezahlen, den Rest der Arbeitgeber, der auch der Vormund der sechzehn- bis achtzehnjährigen Lehrlinge war. Der erste Eindruck des Freundes war: Glas! So viel Glas! Er dachte, hier arbeiten nur die Armen, das wäre ihr Schicksal. Die Reichen, dachte er, würden sicher nicht arbeiten. Nach drei Monaten Deutschkurs begann der erste Arbeitstag mit Kleiderverteilung und dem Wort »Disziplin«. Als er das Rasseln der Ketten des Fahrstuhls im Schacht hörte, klammerte er sich an den jungen Kumpel, der neben ihm stand. Er sah, daß der sich am nächsten Kumpel festhielt und der an seinem Nebenmann. Die zehn Jungen, die das erste Mal in ihrem Leben einen Schacht hinunterfuhren, standen Hand in Hand, mit geschlossenen Augen an die Fahrstuhlwand gedrückt. Aber sie gewöhnten sich bald daran, im Dunkeln zu arbeiten, zehn Stunden im Staub auf den Knien durch die Stollen zu kriechen. Sie gewöhnten sich auch daran, je nachdem, wie die Schicht lag, eine Woche lang keine Sonne zu sehen, keinen Vogel zu hören, vor Müdigkeit nicht einmal mehr lachen zu können. Fünf Jahre arbeitete der Freund »im Bauch der Erde«, wie er sagte, schickte alles Ersparte an seine Eltern. Dann entschloß er sich, Architekt zu werden, um in den tristen Zechengegenden schöne Häuser zu bauen. Er hat es geschafft und sein Studium mit einer Eins abgeschlossen.

9.27 Uhr. Sie versucht sich Wind ins Gesicht zu fächern, aber es gibt nichts, womit sie wedeln könnte. Es ist heiß und still. Sie leckt die Hände: »Ich komm' mir vor wie in einer Isolierzelle. Wenn dieser Penner von Narkosearzt nicht bald auftaucht, gibt's Ärger.« Warten konnte ich noch nie. Ich mußte einmal auf dem Einwohnermeldeamt in Nürnberg warten, um das Umzugsformular abgestempeln zu lassen. Ich ging zum Ausländerschalter. Ich war die einzige im Raum. Es war weder Mittags- noch Kaffeepause. Trotzdem hatte die Frau hinter dem Schalter das Schild »geschlossen« aufgehängt. Ich wartete erst auf der Bank, dann bin ich hin- und hergelaufen. Die Frau drehte sich einfach nicht um, obwohl sie genau wußte, daß ich wartete. Sie strickte weiter, zählte die Maschen, wickelte sich neues Glitzergarn um den Finger. Nach zehn Minuten hab' ich an das Gitter geklopft. Ohne sich umzudrehen sagte die Frau: »Du da warten«, und zeigte auf die Bank, auf der ich schon gesessen hatte. Mehr hat's nicht gebraucht: »Ich nix warten da. Du machen Stempel, aber dalli, oder ich passier' dich durch das Gitter!« hab' ich gebrüllt. – »Dieses Weiß überall.« Sie kratzt nervös auf dem Bettlaken. »Ein paar Farbkleckse und ein Tee, und ich würd' mich sofort besser fühlen.«

Guten schwarzen Tee gab es immer bei einem Freund von der Schwarzmeerküste, der blau, grün und sandgelb liebte. Seine Zweieinhalbzimmerwohnung in einem ausgebauten Dachgeschoß, einer der wenigen Altbauten Dortmunds, glich einem Dschungel. Auf dem wasserblauen Filz, mit dem alle Zimmer ausgelegt waren, lagen handgewebte Kelims in warmen Grün- und Sandtönen, im Schlafzimmer hingen grünblaue Satinvorhänge, die wie Schlangenhaut glänzten, und überall standen deckenhohe Palmen. Das Wohnzimmer bestand zum größten Teil aus einer Sitzgarnitur, ebenfalls in blaugrün. »Ich habe lange nach dieser Farbe gesucht. Es ist genau das Grün der flachen Meerstelle nahe dem Ufer und das Blau kurz vor der großen Tiefe. Es ist die Grenze zwischen Leben und Tod, wenn du das Meer nicht kennst.« Die Wände waren weiß gestrichen. An einer Stelle hing nebeneinander in Türkisch und Deutsch ein türkisches Volkslied auf einem DIN-A4-Blatt:

WEH MIR, ICH WEINE
ACH WEH, MEIN ALI
ICH WILL VON MEINEM SCHMERZ
SPRECHEN
ZU DENEN, DIE OHNE SCHMERZEN
SIND
ACH DU, MEIN SCHWARZES MEER

ACH WEH, MEIN ALI
WIE SCHWARZ SIND DEINE
WASSER
ACH, WIE SCHWARZ SIND DEINE
WASSER
IST DEIN HERZ
VERWUNDET WIE MEINS
LEGEN DIE SCHIFFE NICHT AN
FAHREN DIE BOOTE NICHT
TROCKNE DIE TRÄNEN IN
DEINEN AUGEN
DIE SICH TRENNEN, SEHEN SICH
NICHT WIEDER
ACH, DIE SICH TRENNEN, SEHEN
SICH NICHT WIEDER

Seine kleine Arbeitsecke nannte er seine »Folter-
kammer«, vollgestopft mit Büchern und Akten-
ordnern, durch Bastrollos vom »Lebensraum« ab-
getrennt. »Denken ist eine Qual für mich. Ob du
es glaubst oder nicht, dieser eine Schritt durch die
Rollos ist eine Tortur, und bevor ich nach weiteren
zwei Schritten am Schreibtisch sitze, bin ich schon
erschöpft«, sagte er, den frisch zubereiteten, wun-
derbar duftenden schwarzen Tee schlürfend. »Ich
bin schon so lange hier, daß ich nicht mehr weiß,
warum ich eigentlich von zu Hause weggefahren
bin, ich hab' den Doktor in Physik, bin aber bei
der Arbeiterwohlfahrt hängengeblieben. Ich hab'
so vielen anderen zugehört, daß ich meine

eigene Vergangenheit vergessen habe. Siehst du«, er zeigte auf die Schornsteine auf den gegenüberliegenden Dächern, »der Rauch steigt auf, zuerst grau und schmutzig, vermischt sich mehr und mehr mit der Luft, wird weggeweht und ist schließlich unsichtbar. Aber der Dreck verschwindet nicht im Nichts, sondern setzt sich in anderer Form wieder ab. Die alltägliche Katastrophe, die man zumindest erklären kann. Aber was ist mit meiner Katastrophe? Ich weiß nicht mehr, wer das war, der damals in Sinop ›ich‹ sagen konnte, obwohl er jede Menge Prügel einstecken mußte, weil er mit den Dorfkindern das Fischen auf offenem Meer nicht lassen konnte, den das Grillen der ›Beute‹ mit trockenem Holz auf Stein, mit etwas Salz und Zitrone, für alles entschädigte. Wenn wir von den anderen Fischern nicht weggejagt wurden, haben wir sogar ein paar Fische verkaufen können. – Nach zehn Jahren haben wir uns getrennt. Meine deutsche Frau hat versucht, türkisch zu sprechen, türkisch zu kochen und türkisch zu backen, aber darum ging es nicht. Ich habe keine Träume mehr. Mir fehlt etwas. Wie soll ich eine Erinnerung beschreiben, die ich nur noch schmecken kann wie diesen Tee?« Der stämmige Mann mit dem breiten Gesicht und der tiefen Stimme legte den Teelöffel auf das leere Teeglas. »Sieh mal, was für ein ›Sonnenaufgang‹! Drei Mal in der Woche stechen sie das Eisen an, und dann brennt der Himmel.«

Ein paar Jahre später trafen sie sich zufällig im Speisewagen des Intercity von Frankfurt nach Köln. Er hatte sich mit Leitern anderer Beratungsstellen getroffen, um die Kompetenzen der Arbeiterwohlfahrt zu erweitern. Er war schmaler geworden, die breite Stirn höher, seine Haltung gebückter. »Ich habe jetzt eine Familie«, sagte er und legte Fotos von seinen Kindern und seiner Frau auf den Tisch. Sie war aus seinem Heimatdorf in der Türkei. »Bist du nun glücklich?« fragte sie. Er schwieg, überlegte, strich mit beiden Händen über Stirn und Haare: »Was ist schon Glück? Ich bin zufrieden – manchmal.« Dann drückte er den Teebeutel aus, träufelte aus dem Zitronenkonzentrat-Päckchen ein paar Tropfen ins Glas und lächelte.

Die Schwangere dreht sich zur Seite und nimmt den glänzenden, runden Wattebehälter vom Beistelltisch am Kopfende. Sie kann sich darin spiegeln, schneidet Grimassen: »Von außen wie ein Breitmaulfrosch, von innen wie ein Pinguin. Es kommt auf den Blickwinkel an.«

Sie rollt kleine Wattebällchen und versucht, eine Pyramide zu bauen. »Pyramiden bringen Glück, hab' ich gehört.« Aber der weiche Kugelhaufen fällt in sich zusammen. Sie versucht es von neuem, dreimal drei Kugeln als Fundament, zweimal zwei darüber, aber der Bau sackt in sich zusammen. Jetzt versucht sie, Murmeln zu rollen. Das geht auch nicht. Die Wattekugeln heften am Bettzeug fest. Sie läßt die weichen Kugeln durch die Finger in die runde Schale hineinfallen. »Spiegeleier, das wär's jetzt, oder Rühreier mit Tomaten, oder Speckpfannkuchen auf echt Kölsch. Verdammt, ich habe Hunger.« Sie rührt mit den Fingern in einer imaginären Pfanne. »Ob die ›Eier-Tatta‹ noch lebt?«

Tatta hatte ihren Namen von ihrem Neffen, weil er kein »n« sprechen konnte. Die anderen im Dorf haben das übernommen, und weil Tatta einen enormen Eierverbrauch hatte, wurde die »Eier-Tatta« aus ihr. Sie wohnte im gleichen Haus wie wir, im dritten Stock unter dem Dach. Darunter wohnte ihre Schwester mit Familie, im ersten Stock eine ältere Frau mit ihrer berufstätigen, langbeinigen, blonden Tochter, die an Wochenenden von einem brünetten Mann mit Grübchen in einer BMW-Isetta abgeholt wurde. Eine kleine Kugel auf drei Rädern mit zwei Sitzplätzen. Das Frontteil war die Tür. Jedenfalls paßten beide hinein. Meine Schwester und ich saßen am Fenster und wünschten uns auch so einen Verehrer mit Grübchen. Wenn die beiden wegfuhren, war Tatta meistens unten und sagte jedesmal das gleiche: »So ein schönes Paar!« Es hieß, sie hätte noch nie einen Mann gehabt. Ihr Alter war schwer zu schätzen, vielleicht fünfzig Jahre. Trotz ihres etwas harten, strengen Gesichts wirkte sie von weitem mädchenhaft. Einmal wöchentlich ging sie zu der Hühnerfarm am östlichen Rand des Dorfes. Eigentlich war es eine Obstplantage mit unzähligen Kirsch-, Apfel- und Pflaumenbäumen. Meine Mutter hatte dort bei der Kirschernte ihr erstes eigenes Geld verdient. Das Ergebnis war eine lange Ehekrise gewesen, aber es hatte ihr das Selbstvertrauen gegeben, sich danach endgültig eine feste Anstellung zu suchen.

Jedenfalls holte Tatta dort jedesmal zwanzig Eier, das war dorfbekannt, und jeder rechnete, daß sie bei dieser Zahl am Tag fast drei Eier essen müßte. Eines zum Frühstück ging noch, vielleicht auch zwei, aber drei Eier pro Tag? Niemand hatte im Dorf ein Recht auf Privatsphäre. Wir kauften z. B. ein Kilogramm Brot pro Tag. Haben die nichts anderes zu essen? Tattas Schwester hatte einen großen Verbrauch an Bier und Zitronenlimonade. War sie eine Trinkerin? Die Familie von gegenüber bestellte mehrmals im Jahr große Säcke Kartoffeln, so wurden sie zu Geizhälsen, die trotz ihres Vermögens eine karge Speisekarte führten. Ein paar Jugendliche im Dorf haben sich daraufhin den Scherz erlaubt, im Namen dieser Familie zehn Kilogramm Rindfleisch vom Schlachter des Nachbardorfes zu bestellen. Es kam zu einem Eklat, der den Dorflern über ein Jahr Gesprächsstoff lieferte. Der Schlachter hatte das Fleisch in aller Frühe geliefert, und der Hausherr öffnete ihm nichtsahnend, noch in der Unterhose, die Tür. Er soll dem Lieferanten das Fleisch ins Gesicht gedrückt haben. Der hätte geschrien, er wolle sein Geld. Mit Tritten soll er davongejagt worden sein. Der Halbnackte wäre noch hinter dem Wagen hergelaufen und hätte gebrüllt: »Ich schlag dir den Schädel ein! Laß dich nie wieder blicken!«

Morgens fuhr die Eier-Tatta mit dem Zug zur nächsten Kleinstadt, arbeitete acht Stunden unter »zivilisierten Leuten«, wie sie sich ausdrückte, beim Finanzamt, und ging abends direkt vom Bahnhof die fünfzig Meter zu unserem Haus und hinauf in ihre dunkle Dachkammer. Wir stellten uns die Zimmer dunkel vor, denn es gab nur zwei kleine Dachluken, durch die das Licht einfallen konnte. Sie hat außer ihrer Schwester und ihrem Neffen keinem Menschen die Tür geöffnet. Selbst als meine Mutter einmal am Wochenende, weil sonst niemand im Haus war, um Mehl nachfragen wollte, hat sie durch die geschlossene Tür geantwortet, daß sie keins hätte. Sie hatte schwarz gefärbtes, dauergewelltes Haar, durch das man die helle Kopfhaut schimmern sah. Vom Färben fielen ihr die Haare aus, aber sie ließ es nicht sein. Auch die Augenbrauen waren schwarz gefärbt. Dadurch wirkte sie sehr blaß. Sie trug am liebsten Wolljersey. »Weil es so angenehm weich auf der Haut liegt«, antwortete sie, als meine Mutter ihren guten Geschmack lobte. Aber zu mehr Worten war sie selten bereit. Dann fuhr sie mit den Händen an die Haare, machte kleine Stützbewegungen an der Frisur, leckte einen ihrer Finger mit den breiten Nägeln und strich die Augenbrauen glatt. Einmal im Monat jedoch war die Eier-Tatta in größter Erregung. Man spürte die Aufregung bereits an ihrem schnellen, festen Gang, die Handtasche, nicht wie sonst an der Hand baumelnd, war an den Körper gedrückt, wenn sie vom Bahnhof ins Haus raste. Ein leichtes Rosé schimmerte auf den blassen Wangen, nervös leckte sie ununterbrochen die Lippen und war noch kürzer angebunden. Ich war sicher, daß sie, wenn sie sich nicht geniert hätte, am liebsten drei Stufen auf einmal genommen hätte, aber so hüpfte sie außer Atem die knarrenden Holzstiegen einzeln hinauf. Dann rannte sie im Bademantel in den Garten hinunter, um, wie sie es immer tat, ihre Tageskleidung zum Lüften aufzuhängen, aber nicht auf eine der beiden Wäscheleinen, die zwischen den Bäumen gezogen waren, sondern auf ihre eigene – freistehende – »wegen des Vogeldrecks«. Dann hüpfte sie wieder atemlos hoch. Nur noch zwei Stunden, um sich frisch zu machen und herzurichten für den einzigen, den sie vergötterte! Ich wäre zu gern in ihrer Dachkammer dabeigewesen, um zu sehen, wie aufgeregt sie jedesmal in ihrer Garderobe nach dem für diesen Abend passenden Wolljerseykostüm gewühlt hat. An diesen Abenden hatte sie auch immer einen rosa-perlmutt-farbenen Nagellack auf ihren breiten Fingernägeln und dampfte von Kopf bis Fuß nach echt Kölnischwasser. Ihre Schwester hatte den einzigen Fernsehapparat im Haus, und manchmal wurden neben Eier-Tatta auch die anderen Hausbewohner zum gemeinsamen Fernsehen eingeladen. Es wurden Schnittchen hergerichtet, für die Kinder Zitronenbrause und für die Erwachsenen Bier. Aus Platzmangel saßen wir drei, der Neffe, meine Schwester und ich, auf dem Boden, die Erwachsenen auf Couch und Sessel. Nur Tatta nicht. Tatta saß auf einem Stuhl – kerzengerade! Sie trank auch kein Bier, sondern Wein, den sie sich mitbrachte. Passend zu den schwarzen Lackschuhen lag die kleine, schwarze Etui-Tasche auf dem Schoß. Das frisch gebügelte weiße Taschentuch legte sie nie aus der Hand. Als dann die Ansagerin die Zuschauer zum Abendprogramm begrüßte, zückte sie ein Erfrischungstuch mit echt Kölnischwasser, fuchtelte es auseinander und rieb sich die Schläfen ein: »Ruhe jetzt! Bitte seid still!« stotterte sie eindringlich. Dann kam er – ihr One and Only – VICO TORRIANI! Die Wangen rotglühend, prostete sie ihm zu. Sie schämte sich der anderen, die seinen Auftritt nicht würdigten und statt dessen aßen und sprachen. Ich bin sicher, daß sie entsetzlich eifersüchtig auf die blonde Assistentin war. Sie hatte die Punkte immer viel schneller beieinander und schrie sie ihm entgegen: »Der Kandidat hat 100 Punkte«!

Aber das war nicht die einzige Unterrichtsstunde über das neue Land, in das sie gekommen waren.

Die beiden Mädchen wurden öfter von der Mutter der blonden Schönheit aus dem ersten Stock zum Abendbrot eingeladen. Ihre Tochter kam selten nach Hause, und die alte Frau wollte wohl nicht allein sein.

Der Tisch war schon gedeckt, als sie, Hand in Hand, etwas unbeholfen in der blitzblanken Küche herumstanden. In der Mitte stand ein Korb mit dünngeschnittenem Brot, eine Platte mit gelblicher und rötlicher Wurst in einer Pelle, Salami und Streichkäseecken, eine Schale mit Butter, ein Gläschen Gurken, eine Flasche Zitronenlimonade mit Schnappverschluß und drei verschieden gemusterte Bretter mit Kunststoffbelag. Auf dem einen war Obst, auf dem anderen Gemüse abgebildet, das dritte war kariert. Rechts und links davon lagen Messer und Gabel, davor standen Gläser. Als sich die jüngere Schwester wie gewohnt auf den Stuhl hockte, sagte die Gastgeberin: »Die Füße gehören unter den Tisch«. Den Ellbogen der Älteren schob sie kommentarlos vom Tisch zurück. Dann verteilte sie das dünngeschnittene Brot, für jeden eine Scheibe. Mit einem »guten Appetit« reichte sie die Butter herum. Die Mädchen beobachteten, wie sie mit der Messerspitze ein daumengroßes Stück von der gelblichen Wurst aus der Pelle hob und auf der einen Brothälfte verteilte, mit der Gabel ein kleines Häppchen aufspießte und es zum Mund führte. Als sie die unsicheren Blicke der Mädchen bemerkte, versuchte sie, in ihrer strengen, aber freundlichen Art aufzumuntern: »Eßt doch Kinder. Greift zu. Das ist gute Esel-Salami. Das ist selbstgemachte Leber- und Blutwurst.« – »Ist das Rindfleisch?« kroch es der Älteren heraus. »Nein, Schweinefleisch. Selbstgeschlachtet! Nun eßt doch!« Sie schnitt sich auffordernd ein weiteres

Häppchen von der einen Hälfte des dünnen Brotes ab. »Wir essen aber kein Schweinefleisch«, plapperte die Jüngere. »Wir essen nur Rindfleisch. Blutwurst und sowas mögen wir nicht.« Sie rümpfte die kleine Nase. Die Schwestern teilten sich den Streichkäse und versuchten mit Messer und Gabel der Frau gleichzutun – immer in kleinen Häppchen. Die gemeinsamen Abendbrote waren für sie ein umwälzendes Erlebnis. Denn bei ihnen wurde erstens abends warm gegessen, des weiteren durfte jeder sitzen wie er wollte, erzählen, was er tagsüber erlebt hatte, und das Brot wurde großzügig, in breiten Scheiben, verteilt. Das sollte jetzt anders werden. Die Kinder drängten zu Hause, sie wollten gemusterte Schneidebrettchen, dünn geschnittenes Brot und Zitronenbrause, ganz wichtig wären Streichkäseecken. Während die Eltern wie gewohnt warmes Essen zu sich nahmen und weiterhin Wasser dazu tranken, saßen die Mädchen fortan kerzengerade auf ihren Stühlen, teilten die kleinen Häppchen mit Messer und Gabel, »denn nur die Wilden essen mit den Fingern«, hatte die alte Frau aus dem ersten Stock gesagt, und spülten mit Zitronenbrause nach. Die Schneidebrettchen waren nicht mehr wegzudenken. Sie holten sie zum Frühstück und zum Mittag, um das dünngeschnittene Brot darauf zu legen. Auch sprachen sie während des Essens nicht mehr. Die bis dahin lebhaften Kinder saßen nun stocksteif am Tisch, die kleinen Häppchen ordentlich kauend, ohne zu schmatzen oder zu schlingen, wie es ihnen die »Tante« aufgetragen hatte.

Das Ostereiersuchen wurde auch übernommen. Die Mutter erfüllte ihnen den Wunsch, zwei Dutzend Eier anzumalen und im Garten zu verstekken. Sie sagte zwar, daß es reine Verschwendung und ungesund sei, außerdem reichlich albern, die Frühstückseier plötzlich nur noch bunt essen zu können, aber sie malte und versteckte und freute sich dann doch mit ihren Kindern. Aus Angst, die Eier könnten in der Tasche zerdrückt werden, trugen sie sie in der Hand in die Schule. Jetzt konnten sie wie die anderen Kinder ihr Frühstücksbrot mit einem gelben oder roten Ei auf den Tisch legen und mitreden. Von da an stand zur Osterzeit auch bei ihnen ein Korb mit Schokoladenhasen und Plüschküken auf der Anrichte.

Dann gab es den alljährlichen Marsch der Schützen und das anschließende Schützenfest. Da alle Dorfkinder hinter den grün uniformierten, ordensgeschmückten Erwachsenen herliefen, wünschten es sich die beiden Schwestern auch. Der Vater wollte ihnen die Freude nicht nehmen und erlaubte es. Als die Blasmusikkapelle vorbeizog, schloß er aber die Fenster: »Einen Beethoven haben sie, und was spielen die?« Kopfschüttelnd flüchtete er ins Hinterzimmer, um den »grobschlächtigen Marschrhythmus« nicht hören zu müssen. Das ganze Dorf war am Straßenrand versammelt und winkte den im Gleichschritt marschierenden Uniformierten zu. Die beiden Mädchen winkten mit. Die Bürgerwehr, wie sie früher genannt wurde, winkte mit ihren Vereinsfähnchen zurück. Es war etwas Besonderes, im Verein zu sein, und der renommierteste Verein im Dorf war der Schützenverein. Die Leute riefen: »Ah, der Badenweiler-Marsch! Ah, der Defilier-Marsch!« Obwohl die Mädchen die einzelnen Musikstücke nicht unterscheiden konnten, für sie klang alles gleich, klatschten sie begeistert mit. Die Musiker marschierten steif wie Zinnsoldaten, nur auf ihre Noten konzentriert, die an die Instrumente geklemmt waren. »Der Wichtigste muß der Kapellmeister sein«, dachten die Schwestern. Er war der erste des Schützenzuges. In einem Abstand von fünf Metern marschierte er vor der Kapelle, sah nicht nach rechts, nicht nach links, und fuchtelte mit einem riesigen Taktstock in der Luft herum. Der Schweiß lief ihm die Wangen herunter, aber unermüdlich schmiß er den Stock in die Höhe und fing ihn wieder auf. Er war der einzige, der keinen Schnaps von den Leuten am Straßenrand annahm. Die Schützen dagegen, lauter Männer mit wippenden Pinseln an den Hüten und poliertem Blech auf der Brust, griffen gierig nach den kleinen Gläsern. Die wenigen Vereinsfrauen, ebenfalls in grünen Uniformen, hielten sich etwas zurück. Das Ende und der Höhepunkt des Umzugs war das Schützenzelt. Dort wurde weiter getrunken, das heimatliche Brauchtum gepflegt, geschützt und konserviert. Für die Kinder standen Karussell, Zuckerwatte und Losbuden bereit. Es roch nach gebrannten Mandeln. Während die anderen Dorfkinder zwischen ihren uniformierten Eltern und älteren Geschwistern zur Marschmusik herumhüpften, stampften die zwei Schwestern, rotglasierte Liebesäpfel verschlingend, durch die Pfützen zu den blinkenden Kirmeslichtern.

Eine weitere Sitte, die sie entdeckt hatten, war das »Kaffeetrinken« mit Törtchen und Hefeteilchen am schön gedeckten Tisch mit Servietten, Blumen und Kerzen. Sonntags, gegen 15 Uhr, riefen die fein frisierten Mütter die restlichen Familienmitglieder zu ihren selbstgebackenen Leckereien zusammen. Die Männer unterbrachen das Autowaschen, die Gartenarbeit oder das Basteln im Hobby-Keller, die Kinder ihre Spiele. Den Schwestern gefiel das Ordentliche dieser Zusammentreffen. Es war wie im Fernsehen: Heile, harmonische

Welt, über der die porentief reinen Wolken schwebten. Bei ihnen zu Hause gab es keinen Unterschied zwischen Wochentagen und Wochenenden. Wenn die Eltern frei hatten, saß man immer zusammen, jeder in Blickweite, spielte, las oder strickte vor sich hin. Aber die Mädchen beeindruckte gerade das Zelebrieren der Gemeinsamkeit. Also legte die Mutter die rote Wolle für eine Kinderweste beiseite, belegte Tortenböden mit Obst und Gelantine, schlug Sahne steif, servierte Kaffee und Kakao. Schließlich wurde am Sonntagnachmittag auch bei ihnen regelmäßig »Kaffee getrunken«, allerdings ohne Kerzen. Der Vater mochte sie nicht. Er mochte überhaupt kein schummeriges Licht. Während seiner Internatszeit war das Licht so früh abgedreht worden, daß die Kinder die restlichen Schulaufgaben bei Petroleum- oder Kerzenschein zu Ende schreiben mußten. Die stromlose Zeit war vorbei, also keine Kerzen, Ende der Diskussion.

Als dann im Dezember die Kerzenzeit schlechthin ausbrach, gab er auf. Weihnachten mit Tannenbaum, bunten Glaskugeln, Engelshaar und glitzerndem Lametta wäre ohne Kerzen undenkbar gewesen. Überall in den Fenstern, beim Bäcker, im Bahnhofshäuschen, bei Tatta, bei ihrer Schwester, bei der Tante im ersten Stock, bei den kartoffelessenden Reichen von gegenüber, überall flackerten weiße oder rote Kerzen zwischen Tannenzweigen drapiert. Dazu der Geruch im Treppenhaus: »Spekulatius, Lebkuchen selbstgemacht!« erklärte die strenge Tante aus dem ersten Stock mit seltsam gütigem Blick. Überhaupt grüßten fast alle Dorfbewohner milde gesonnen mit glasigen Blicken. Nur Tatta nicht. Sie ging zur Bescherung nicht einmal zu ihrer Schwester hinunter. Einige flüsterten: »Die ist so geizig, die kauft sich selber nicht mal was.« Die Kinder bettelten den Vater an, Kerzen auf den Baum stecken und diese auch anzünden zu dürfen. Schließlich gab er nach, mit der Bedingung, die Deckenbeleuchtung müsse anbleiben. Die beiden Mädchen hüpften aufgeregt auf die Straße zu den heruntergelassenen Schranken, um den vorbeirasenden Zügen zuzuwinken, sie rannten auf den zugefrorenen Acker, vor Freude schlitterten sie in die Dämmerung hinein. Bei ihnen war es jetzt genauso, wie es die anderen Schulkinder beschrieben hatten. Auch sie hatten für ihre Eltern Geschenke eingekauft, für den Vater ein Brillenetui, für die Mutter ein neues Portemonnaie. Als es dunkel genug für die Bescherung war, liefen sie schnaufend und quiekend an den verdutzten Eltern vorbei in ihr Zimmer, zappelten sich aus den Hosen in die Sonntagskleider. Wie Brautjungfern –

die Geschenkpäckchen vor sich hertragend – schritten sie im Gleichschritt zum Tannenbaum. »Frohes Fest, Mama. Frohes Fest, Papa.« »Was macht ihr da? Und was heißt hier ›frohes Fest‹? Wessen Fest?« schoß es aus dem Mund der verärgerten Mutter. Obschon sie damit einverstanden war, daß die Kinder am christlichen Religionsunterricht teilnahmen, wollte sie nicht diese Konsequenz. Tannenbaum ja, aber kein frohes Fest. Sie hatten andere Feste! »Aber es ist doch Weihnachten. Da schenkt man sich doch was«, stammelten die beiden heulend. »Wer ist man? Die Christen tun das. Wir sind Moslems!« versuchte die Mutter zu klären. Aber für die Mädchen hatte sich innerhalb von nur zwei Jahren die Grenze zwischen »wir« und den »anderen« bereits so verwischt, daß sie die Gewohnheiten der Dorfbewohner als ganz selbstverständlichen Teil ihres eigenen Lebens empfanden. »Aber der Jesus ist doch heute geboren, da schenkt man sich doch was.« Der Vater setzte seine schluchzenden Töchter, die sich an den Geschenken festkrallten, auf die Knie: »Das sind zwei verschiedene Dinge, der Tannenbaum und Jesus«, dozierte er. »Der 24. Dezember ist die Sonnenwende, ab heute werden die Tage länger, und da haben vor vielen hundert Jahren die Kelten und Germanen, die die Kirche »Heiden« genannt hat, das heißt, Ungläubige, riesige Feuer gemacht, um zu feiern. Das waren große Feuer, draußen auf den Äckern. Als die Christen diese Sitte nicht ausrotten konnten, haben sie sie einfach übernommen. Und weil das für die Kelten das größte Ereignis war, hat auch die Kirche daraus ein riesiges Fest gemacht und gesagt, daß Jesus an diesem Tag geboren wurde. Er ist aber früher geboren. Wir haben dem Tannenbaum zugestimmt, weil es eigentlich kein rein christliches Fest ist und außerdem eine schöne Bedeutung hat. Oder freut es euch nicht, wenn ab jetzt die Tage wieder länger werden?« – »Doch«, antworteten die Mädchen. »Und mit den Ostereiern ist es ähnlich. Das Ei ist das Symbol der Fruchtbarkeit...« – »Die Tatta ißt so gerne Eier«, unterbrach die Jüngere. »...also erhält es Leben. Und weil im Frühling alles neu wächst und blüht, kriecht und zwitschert, haben die Kelten als Dank und Bitte an die Natur die Eier bunt angemalt und zu Frühlingsbeginn wieder ein großes Fest gefeiert. Weil aber zur gleichen Zeit Jesus gestorben und wieder auferstanden ist und die ›Heiden‹ das Feiern nicht lassen wollten, hat die Kirche auch hier die beiden Feste zusammengelegt.« Er drückte seine Töchter fest an sich und wischte ihnen die Gesichter trocken: »Wir freuen uns auf eure Geschenke.«

Die Vorhänge wedeln. Die Schwangere verdreht den Kopf, ob jemand die Tür geöffnet hat, aber es hatte sich nur ein kleiner Wind durch das gekippte Fenster verlaufen. Sie wird wieder wütend: »Erst machen sie mir solche Angst, daß ich mich fast übergeben habe und die halbe Nacht heulend auf dem Gang herumgelaufen bin, um die Nachbarin nicht zu wecken. Dann schütteln sie mich in aller Herrgottsfrühe wie einen Cocktail, und jetzt passiert nichts mehr. Der Narkosearzt ist wahrscheinlich noch selbst betäubt vom gestrigen Disco-Fever.« Sie drückt dreimal hintereinander auf die Klingel. Kurz darauf stürzt die holländische Hebamme in den Raum. »Was ist passiert?« – »Das wollte ich sie fragen! Sie wissen doch selbst, was passiert, wenn sich die Hauptplazenta löst! Sie wissen, daß dann die Nabelschnur lädiert wird, daß der Sauerstoff ausbleibt, daß mein Kind eine Delle ins Hirn kriegt!« – »Bitte beruhigen Sie sich!« – »Ich denke nicht daran! Holen Sie mir sofort den Chefarzt. Vierzig Wochen ging es meinem Baby prächtig. Nur wegen eines versoffenen Narkosearztes, der den Arsch nicht hochkriegt, will ich kein krankes Kind. Ich warne Sie, ich warne alle in diesem Saftladen: Wenn etwas mit meinem Kind passiert, bring ich euch alle hinter Gitter!« – »Der Narkosearzt ist nit versoffe. Seine Mutter

liegt im Sterbe.« – »Das ist mir verdammt nochmal
scheißegal! Vielleicht stirbt ja gerade was in meinem Bauch, bevor es je eine Chance hatte zu leben.
Holen Sie mir den Chefarzt!« Die Schwangere
schreit aus vollem Hals. »Haben Sie meinen Mann
angerufen?« – »Ja, aber da war nur die Telefonma-
schine. Sie dürfe sich nit aufrege, bitte. Ich bin
gleich zurück. Und bleibe sie liege.«

Jeder kriegt das im Leben, was für ihn bestimmt
ist, hatte die Mutter so oft gesagt, wenn sie sich
freitags, dem heiligen Tag der Moslems, in die
Couch verkroch und dem Freitagsgebet aus dem
Radio folgte – die Beine angezogen, den Kopf mit
einem weißen Kopftuch bedeckt, den Koran auf
dem Schoß aufgeschlagen.

Die Schwangere beißt sich auf die Lippen, krallt
sich in die Matratze. »Das Kind von einem Un-
gläubigen ist Sünde«, brennt es ihr im Kopf.
Die unvergeßlichen Reste der religiösen Erziehung
aus den Kindertagen, – »alles ist vorherbestimmt,
wer sich dagegen auflehnt, den wird die Rache
Gottes vernichten« – und andere Sätze der Großeltern versetzen sie plötzlich noch einmal in Panik.

Das Blinken der Chromteile an der Decke wird undeutlich, aus Angst zu erblinden, kneift sie sich ins Gesicht: »Aber das Kind kann doch nichts dafür!«

Mit suggestiver Eindringlichkeit und der Autorität, die Gläubige verbreiten, hatten ihr die Großeltern die Folgen der Sünden beschrieben. Im Halbdunkel der verrußten Petroleumlampen erzählten sie in ruhigem Märchenton von den martialischen Strafen Allahs. Der Opa muß es wissen, dachte die damals Fünfjährige, er hatte schließlich das Grab des Propheten Mohammed geküßt. Abtrünnige und Ungläubige kamen in die Hölle, und Opa wußte genau, wie es dort zuging: »Du wirst schmoren auf Steinen, die so heiß sind, daß deine Haut daran kleben bleibt. Du wirst gehen auf Schwertern, so dünn wie ein Haar und schärfer als jedes Schlachtermesser. Sie werden dich in Stücke teilen. Die giftigsten Schlangen werden deine Beine, deinen Körper, deine Arme und deinen Kopf würgen und wringen, bist du erstickst, aber sterben wirst du nie, nur immer und ewig büßen.«

Die Erinnerung durchfährt sie wie eines dieser Höllenschwerter. »Was soll das Theater? Nun werden Sie nicht hysterisch! Damit tun Sie ihrem Kind keinen Gefallen.« – »Dann tun Sie mir einen Gefallen und holen Sie es raus, bevor es verblödet!« – »Hören Sie auf zu schreien, davon geht's auch nicht schneller. Und legen Sie sich hin!« Die gebräunte Hand des Arztes greift zum Puls seiner Patientin, aber sie reißt sich los. »Halten Sie mich nicht für einen Trottel. Ich weiß um die Folgen eines verspäteten Eingriffs. Nur weil so ein arroganter, selbstgefälliger ›Gott in Weiß‹ um zwei Stunden zu spät operiert hatte, klagt eine Kollegin seit vier Jahren um Unterstützung für ihr geistig behindertes Kind, völlig aussichtslos, versteht sich!« – »Wenn Sie sich jetzt nicht beruhigen«, sagt der Arzt mit gequetschter Stimme, »dann müssen wir es tun. Schwester...« – »Sie kriegen in mich weder eine Pille noch eine Spritze rein! Sie sollen nur Ihre verdammte Pflicht tun und das Kind 'rausholen! Mehr nicht!« Ohne die Frau noch einmal abzutasten, jagt der Mann in Weiß aus dem Kreissaal. »Ihr Mann sitzt vor die Tür, aber er darf nit rein.« Die holländische Hebamme wischt der Frau den Schweiß aus dem Gesicht. »Es dauert nit mehr lang.« – »Schwester, die Frau, die in der Ecke lag, ist weggegangen, barfuß.« – »Ich werd' gleich nachsehe.« Ihre Schuhe quietschen zur Tür hinaus. »Es tut mir leid, wenn ich dich erschreckt habe. Ich werd' uns etwas Schönes ausdenken.« Sie zieht das OP-Hemd glatt, streift die Haare aus dem Gesicht. »Hör zu: Wir holen das Berglein aus dem Dorf meiner Großeltern und stellen es an den Rhein, so daß die Seite mit der Mulde zum Dom liegt. Dann basteln wir einen maisgelben Baldachin mit Sternen und machen deinen Platz daraus. Mit bunten Kelims aus der Türkei, weichen Federkissen aus Österreich und kuscheligen Plüschtieren aus Deutschland bauen wir das schönste Himmelbett auf Erden. Den Maulbeerbaum, unter dem meine Mutter und ihre Schwestern so gerne gesessen haben, pflanzen wir in die Mitte des Bergleins. An die Längsseiten kommt ein Dutzend Haselnußsträucher. Aus dem Hochsitz meines lustigen Onkels machen wir unser Wohnzimmer. Es wird zwar ein bißchen eng, aber nicht kalt, denn wir holen die heiße Mittagssonne von den staubigen Straßen Anatoliens weg und hängen sie über die Kölner Altstadt. Was meinst du, wie die dann glänzt. Übrigens, der Rhein muß saubergemacht werden, damit wir Fische grillen können, mit einer Prise Salz und zwei bis drei Tropfen Zitrone wird das ein wunderbares Mittagessen. Zum Nachtisch gibt es weiße Maulbeeren. Abends holen wir Speckpfannkuchen und schlürfen heißen, schwarzen Tee dazu. An den Wochenenden laden wir die ganze Verwandtschaft ein, die knackende und die träumende Tante, den starken und den schwachen Onkel, Oma, Opa, Vater, Mutter und Schwester. Mein kurdischer Freund wird Saz spielen und der Freund vom Schwarzen Meer wird singen: »Weh mir, ich weine«. Wenn wir alle zusammen singen, ist es kein trauriges Lied. Anschließend paddeln wir alle gemeinsam zum Museum hinüber und sehen uns die Andy-Warhol-Ausstellung an. Wenn dir das nicht gefällt, drehen wir alles um: tragen den Rhein, den Dom, die Altstadt, das Museum und die Speckpfannkuchen ins Dorf meiner Großeltern und lesen dort auf dem Berglein an den Wochenenden Gedichte von Goethe und Heine. Wir laden den Plattenfan mit seiner rosa Frau, die Eier-Tatta und die Tante aus dem ersten Stock mit den PVC-Schneidebrettchen ein. Aber wo auch immer, nachts muß es ganz dunkel sein, damit du den schwarzen Himmel meiner Großeltern sehen kannst, die bleiche Schönheit des Mondes mit seinem Hofstaat aus Millionen weißer Sterne.

Als sie ein Kind war, hatte ihr der Großvater verboten, nach Sonnenuntergang in den Hof zu gehen. Trotzdem war sie, als er sich zum Abendgebet zurückgezogen hatte, hinausgeschlichen, hatte sich vor die Stalltür auf den Boden gehockt und in den schwarzen Himmel gestarrt.

Der ältere Onkel hatte ihr erzählt, daß dort oben Allah lebte, und mit seinen großen Händen Sonne, Erde und Mond festhielt, damit diese nicht in die Hölle fielen. Sie wollte ihn einmal fragen, warum er denn die Schwerter und die Schlangen nicht verbietet und den Teufel ins Feuer schickt. Warum er so böse wird, wenn Mädchen reiten oder die Dorfkinder Fußball spielen. Der Großvater war mit seinem Stock hinter den Jungs hergelaufen und hatte Steine nach ihnen geworfen: »Ihr Verfluchten!« hatte er geschrien, »das ist eine Sünde! Ihr tretet den Kopf des Propheten.« Einmal hatte er sie vom Gaul heruntergerissen und gedroht. »Dafür kommst du in die Hölle!« Aber warum? Sie versprach Allah, nichts zu essen und zu trinken, von Sonnenaufgang bis Sonnenuntergang, wenn er sich ihr nur einmal zeigen würde. Sie wollte auch nie wieder bei Dunkelheit pfeifen, sie hatte es nicht gewußt, daß das den Teufel zum Tanz auffordert. Allah sollte nicht böse sein, wenn sie mitten in der Nacht das Haus verließ, aber tagsüber hätte er ja so viel zu tun, daß er sie gar nicht hören könnte. Sie zeigte ihm ihre phosphoreszierende Gebetskette, die bösen Geister würden sie nicht mitnehmen.

Aber er antwortete nicht. Mit ausgestreckten Armen flüsterte sie die arabischen Koransuren, die ihr der Großvater vorgesprochen hatte, zu der blinkenden, schwarzen Himmelsdecke über ihr, aber er kam nicht. Als alle Versuche Allah nicht erweichen konnten, wendete sie sich das erste Mal an den Mond. Der versteckte sich ja oft in dessen Mantel, also konnte er von Allah nicht allzu entfernt sein. Bevor er sein monatliches Versteckspiel begann und noch groß und rund war, überschüttete sie ihn mit einer langen Wunschliste, und damit er ihre Bitten auch weitergab, legte sie die phosphoreszierende Kette um sein Spiegelbild in der Pfütze vor dem Kuhstall. Als der lustige Onkel sie am nächsten Morgen in den Hof rief, schien alle Hoffnung auf ein Gespräch mit dem Allmächtigen dahin. Kopfschüttelnd, mit ernstem Gesicht, hielt er die verdreckte Kette in der Hand: »Das ist kein Spielzeug. Jede Perle ist gefüllt mit Bitten und Hoffnungen. Wenn du sie im Schlamm liegenläßt, fallen sie wieder hinaus, in die Erde, zur Hölle. Das ist eine Sünde.« Schon wieder drohten Schwerter, Schlangen und heiße Steine. Wortlos nahm sie die Kette, polierte vorsichtig die einzelnen Perlen und flüsterte arabische Worte durch die Zahnlücken.

Leise trat sie zu der Großmutter, die beim Mor-

gengebet saß und meditierte, kniete sich neben sie.
Mit der linken Hand hielt sie die aneinandergereih-
ten giftgrünen Perlen, mit Daumen und Zeigefin-
ger der rechten drückte und drehte sie jede einzelne Perle so lange, bis sie glaubte, sie wieder gefüllt zu haben. Die Großmutter beendete mit
einem langen »Amen« ihr Gebet und verließ zufrieden lächelnd den Raum: »Brav mein Kind.« Es
dauert endlos lange, bis das Mädchen das erste
Drittel der neunundneunzig Perlen wieder gefüllt
hatte. Sie beschloß nach der dreiunddreißigsten
Perle vor dem kleinen Minarettchen aufzuhören,
das nächste Drittel beim Mittagsgebet zu füllen
und das letzte Drittel, nach dem zweiten Minarettchen, während des Fünf-Uhr-Gebets. Nur, wo
sollte sie die Kette so lange aufbewahren, damit
nicht wieder alles herausfiel? Sie legte sie hoch auf
den Kaminsims, neben die frisch geputzte Petroleumlampe. Aber nein! Die Bitten und Hoffnungen könnten herunterfallen, der Sims war zu
schmal. Ganz vorsichtig hob sie die Kette wieder
weg. Die mit Kelims zugedeckte Holzbank war
der bessere Platz. Zwischen zwei Kissen versteckt,
war sie bestens aufgehoben. Beim Verlassen des
Zimmers fiel ihr ein, daß ihre dreiundhalbjährige
Schwester regelmäßig gegen Mittag sämtliche Kissen einsammelte, um sich darauf auszuruhen.

Schließlich nahm sie die Kette mit dem orangenen Bommel und steckte sie in die Bluse, wie es alle Frauen taten. Nach Sonnenuntergang, während die Großfamilie gen Osten murmelte, drückte sie sich abermals durch die quietschende Tür hinaus. Am Stall angelangt, nahm sie die Perlenschnur aus der Bluse und legte sie sich zur besseren Sicht für den Mond auf den Kopf. Zu ihrer Freude hatte er sein Versteckspiel begonnen, ein kleines Stück seiner rechten Seite war schon hinter dem Mantel Allahs versteckt. »Geh schon, beeil dich ein bißchen. Sag ihm, daß ich warte.« Die unreifen Haselnüsse aus der Schürzentasche knackend, starrte sie gebannt in die Nacht. Ab und zu raschelten die Kühe mit den Ketten, ein Haufen Grillen zirpte aus den Büschen, es war warm und windstill, und der weiße Mondschein machte müde.

Das Wirbeln der Lichter und das Rufen breitete sich vom Haus aus bis zum Garten, kam über den Hof zur Scheune, von dort zum Brunnen. »Sie wird doch nicht da..., nein unmöglich! Wo kann sie nur sein? Allah steh uns bei!« schrien Frauenstimmen. »Kommt her und seht euch das an!« rief plötzlich der lustige Onkel von der Stalltür aus. Die phosphoreszierende Kette glänzte wie ein Heiligenschein über dem schlafenden Mädchen. »Du Dickschädel, kannst du sie denn nicht wie alle in der Hand halten?« Er trug sie ins Haus zurück.

Von da an wurde die Tür bei Sonnenuntergang verriegelt. Aber auch durch das Fenster hat sich Allah nie gezeigt.

Zwanzig Jahre später saß sie als Schauspielerin mit ihren Kollegen um die zusammengeschobenen Tische im Probenraum eines kleinen Theaters. Ein riesiges, gestikulierendes Tohuwabohu war entstanden. Einige standen fassungslos neben ihren Stühlen, andere liefen kopfschüttelnd herum, ein paar saßen und verglichen Übersetzungen und Sekundärliteratur. Nach kurzen Erschöpfungspausen zuckten und wedelten Arme und Köpfe in Richtung Tischende. Dort saßen mit verschränkten Armen – Schulter an Schulter – Dramaturg und Regisseur. Sie hatten den Monolog des »Jaques« in »Wie es euch gefällt« von Shakespeare bis auf den Anfangssatz: »Die Welt ist eine Bühne, und alle Frauen und Männer bloße Spieler« gestrichen, ihre Absicht war es, eine Reader's-Digest-Fassung zu inszenieren. Aus einem Traum in zweiundzwanzig Bildern über fünf Akte war ein nüchternes Stichwortregister mit elf Bildern übriggeblieben. Die

Poesie von damals wäre nicht »heutig« genug, man müßte die Klassiker »transponieren«, um sie verständlich zu machen. Deshalb hatten sie, bis auf eine Ausnahme, nur Jüngere und sogenannte Anfänger besetzt. Zum ersten Mal an diesem Theater hatten sich die Schauspieler geweigert, eine von der Regie vorgelegte Stückfassung zu spielen.

»Ihr habt die Utopie zertrümmert!« schrie einer der Anfänger, der den »Jaques« spielen sollte. Die schwarzgelockte, dicke »Phöbe«-Darstellerin schrie mit: »Der Monolog ist die größte literarische Beschreibung des Lebens, kapiert ihr das nicht?« Die Fünfundzwanzigjährige, die schon ganz »Celia« war, zitierte unermüdlich Begründungen für die Notwendigkeit des Verbleibs der Text-Passage aus dem Sekundärliteratur-Haufen, den sie sackweise mit dem Fahrrad umherfuhr: »Also, Schopenhauer sagt: »Den Menschen wollte er im Spiegel der Dichtkunst zeigen, nicht moralische Karikaturen. Der Text muß bleiben, weil er die Kernaussage für die Utopie des Stükkes enthält, nicht wahr, Rosalinde?« Sie sprach jeden mit dem Rollennamen an.

Der fünfunddreißigjährige Brecht-Spezialist mit kurzgeschorenen Haaren und dem billigen Pfeifentabak stoppte im Herumgehen: »Es gibt nichts Dümmeres, als Shakespeare so aufzuführen, daß er klar ist. Er ist von Natur unklar. Er ist absoluter Stoff. Das ist von B.B.« Er war auf den Dramaturg wütend, weil er ihn statt mit dem »Jaques« mit dem »Herzog Friedrich« besetzt hatte. Der »Amiens«-Darsteller, auch ein Anfänger, mit wunderschönen, gepflegten Händen, zitierte seinen Guru Oskar Wilde: »Shakespeare ist der menschlichste aller Künstler.« – »Und Menschen haben Träume! Mit Stichworten könnt ihr die Computer füttern!« Mit einem riesigen Knall donnerte »Celia« das Manuskript auf den Boden und stampfte wütend darauf herum. Die Schauspieler wollten Utopie und Poesie, die Regie drohte mit Entlassung.

Mit einem Satz sprang daraufhin der einzige Nichtraucher, der sich während der Diskussionen zurückgehalten hatte, unter dem einzigen Fenster des Raumes auf den Tisch, fuchtelte mit einem Holzschwert ein »Z« in die Luft, schüttelte die langen Haare vors Gesicht und deklamierte:

> »Die Welt ist eine Bühne,
> Und alle Frauen und Männer bloße Spieler.
> Sie treten auf und gehen wieder ab,
> sein Leben lang spielt einer manche Rollen

Durch sieben Akte hin. Zuerst das
Kind,
Das in der Wärtrin Armen greint und
sprudelt;
Der weinerliche Bube, der mit Bündel
Und glattem Morgenantlitz wie die
Schnecke
Ungern zur Schule kriecht; dann der
Verliebte,
Der wie ein Ofen seufzt mit Jammerlied
Auf seiner Liebsten Braun; dann der
Soldat,
Voll toller Flüch und wie ein Pardel
bärtig,
Auf Ehre eifersüchtig, schnell zu Hän-
deln,
Bis in die Mündung der Kanonen su-
chend
Die Seifenblase Ruhm.«

Mit großem Knall schmiß er sich mit heraushän-
gender Zunge auf den Tisch zwischen die stinkenden Aschenbecher und Kaffeetassen und drückte
sich das Schwert in den Bauch.

»Celia« fand das unproduktiv, der Brecht-Fan
bewunderte seine anarchische Chuzpe. Die
»Phöbe«-Darstellerin raunzte: »Scheiß Imponier-
gehabe.«

Er war ein Phänomen. Nach zwei-, dreimaligem Lesen konnte er das Stück auswendig. Plötzlich drehte er sich ganz langsam um, steckte das Requisit ins Hemd und kroch wie ein Panther zu beiden Männern am Tischende, die mit dem Abbruch der Inszenierung drohten:

»Und dann der Richter«, hauchte er mit tiefer Stimme, jedes Wort betonend:

>»Im runden Bauche, mit Kapaun gestopft,
Mit strengem Blick und regelrechtem Bart,
Voll abgedroschener Beispiel, weiser Sprüche,
Spielt seine Rolle so!«

Er zog mit dem Schwert beiden ein »Z« auf die Stirn, sprang in hohem Bogen vom Tisch. Auf jeden seiner Kollegen deutend, schlich er wie ein Indianer durch den Raum:

>»Das sechste Alter
Macht den berockten, hageren Pantalon,
Brill auf der Nase, Beutel an der Seite;
Die jugendliche Hose, wohl geschont,
'Ne Welt zu weit für die verschrumpften Lenden;
Die tiefe Männerstimme umgewandelt

Zum kindischen Diskante, pfeift und quäkt
In seinem Ton. Der letzte Akt, mit dem
Ist die Zweite Kindheit, gänzliches Vergessen
Ohn' Augen, ohne Zahn, Geschmack und Alles.«

Die letzten vier Zeilen hatte er geschrien. Dann gab er dem siebzigjährigen Schauspieler, der ungern die Rolle des Narren »Probstein« übernommen hatte, aber froh war, überhaupt mal wieder eine größere Rolle spielen zu dürfen, einen Kuß auf die Stirn. »Ich scheiße auf eure Neurosen!« brüllte er an die Adresse der Stück-Verstümmler. »Haut ab, laßt das Theater in Ruhe! Legt euch auf die Couch mit eurer Pseudo-Dialektik! euer »heutiges« Gesülze könnt ihr euch in euren 68er Arsch stecken und den »Diener Adam« auch! Zorro steigt aus!« Er warf ihnen das Holzschwert vor die Füße und knallte die Tür hinter sich zu.

9.49 Uhr. »Das ist doch reine Schikane. Die lassen deinen Vater nicht herein. Bestimmt hat er wieder den stummen Blick. Immer, wenn er nervös ist, wird er weiß im Gesicht, sitzt kerzengerade, ist still, mit diesem stummen Blick in seinen grünen

Augen. Wer ihn nicht kennt, denkt sich: »Oh Mann, ist der cool!« Dabei versucht er gerade den Wirbelsturm, der alles durcheinander bringt, einzufangen. Das Beste an ihm ist sein Humor. Du wirst Spaß haben mit ihm. Deine Großmutter hat ihn umgetauft. »Ali« fällt ihr leichter, und es läßt sie in der Illusion, etwas Türkisches an ihm zu finden.«

Am Morgen vor der Premiere der zerstrittenen Inszenierung von »Wie es euch gefällt«, wollte sie noch einmal den Sprung vom Baum in der Waldszene probieren. Es war dunkel. Die grüne spärliche Beleuchtung vom Notausgang ließ nur Konturen erkennen. Außer dem Pförtner war niemand im Theater. Die Baumstämme sahen aus wie Fahnenmasten und waren an den Zügen über der Bühne befestigt. Beim Hochklettern wackelten sie wie bei starkem Seegang, jeder Griff mußte sitzen. Sie tastete sich zu »ihrem« Stamm durch, legte Tasche und Jacke beiseite, griff um den Stamm und zog sich gerade hoch, da schrie eine Männerstimme aus der hintersten Gasse: »Haaalt!« Der Schreck verjagte alle Kraft aus den Gliedern, sie ließ los und fiel herunter. Der Bühnenbildner kam angerannt. Mit der Taschenlampe suchte er sich den Weg, trotzdem stieß er an mehrere Bäume, die hin- und herkippten wie Marktweiber, die Neuigkeiten weitergeben. »Der ist noch nicht angebohrt«, keuchte er. – Sie: »Entschuldige, ich wollte nur...« – Er: »Eh kloar.« Er legte die Taschenlampe auf den Boden und bohrte die vier Bühnenbohrer, die er gerade geholt hatte, durch die Metallplatte des Stammes in den Bühnenboden. »So, jetzt kannst aufi kraxeln!« Gemeinsam probten sie die Szene. Orlando, der Rosalinde liebt, trifft Rosalinde, die aber Ganymed ist und Orlando liebt. Dennoch unterzieht sie ihre Liebe einer Prüfung. Beide leben im Wald, weil sie kein Zuhause mehr haben.

9.53 Uhr. Es bewegt sich nichts. Der Kastanienbaum steht still. Kein Spatz, der spielen möchte. Ihre Haare sind bis in die Spitzen durchgeschwitzt. Sie starrt auf die OP-Tür. »Heute. Jetzt. Nicht morgen, nicht gestern. Nicht mehr abwarten, nicht mehr konservieren. Heute leben.«

Ihr Vater, der sich verzweifelt bemüht hatte, eine neue Heimat zu finden, irrte mit der Zeit immer zerstreuter zwischen seinen Büchern umher. In den ersten zwölf Jahren in Deutschland hatte er weder das Bedürfnis gehabt, türkische Musik zu hören, noch auf einen kurzen Besuch zurückzufahren. Auf die Bitten seiner Frau, die regelmäßig ihre Familie aufsuchte, antwortete er: »Es ist noch nicht nötig.« Dann begannen sich ganz sukzessive, so unmerklich wie Haare grau werden, die Klassik-Wochenenden mit den Klängen von Saz und Derbuka zu vermischen, der Musik seiner Kindheit im gelben Licht der verrußten Petroleumlampen. Erst nach zwanzig Jahren war er bereit, mit seiner Frau in die staubigen Straßen Anatoliens zurückzukehren. Tagelang packte er seine drei Koffer ein und aus. Die grauen Anzüge raus, die hellen rein und umgekehrt. Hemden, Hüte, Schuhe, alles sortierte er mehrmals neu. Die Begegnung mit dem lange geplanten »Lebensabend« hatte er bis zwei Jahre vor seiner Pensionierung aufgeschoben. Die Reiseapotheke füllte einen halben Koffer: Tropfen gegen Magen- und Darminfektion, Kreislaufmittel, Tabletten gegen Kopf- und Gelenkschmerzen, Medikamente gegen jede erdenkliche Infektionskrankheit. Während des dreimonatigen Aufenthalts sollte die endgültige Rückkehr vorbereitet werden. Sie waren bereit.

Der Flughafen war neu gebaut worden, die Schwester ergraut, die beiden Neffen ihm schon über den

Kopf gewachsen, der einzige noch lebende Onkel saß im Rollstuhl. Die Zahl der zahnlosen Bettler und Lumpensammler, der barfüßigen Schuhputzer und Wasserverkäufer war gestiegen. Die Rufe aus den Minaretten schallten unaufhörlich in die Betonwände neugebauter Hochhäuser. Ständig wechselte er die Straßenseite, aus Angst, eine dieser flüchtig zusammengezimmerten Behausungen könnte einstürzen. Er wurde krank. Herzrhythmusstörungen, Kreislaufkollaps. Nach einer Woche reiste er allein wieder ab.

9.54 Uhr. Zwei Männer und eine Frau in grünen Kitteln verschwinden durch die grüne Tür in den Operationssaal.

Als junge Frau vom Land mußte die Mutter die Familie bedienen und bewirten, zuerst die Eltern, später den Ehemann. Seiner jüngeren Schwester, die im gleichen Haus wohnte, wusch und bügelte sie die Wäsche, kochte ihre Lieblingsgerichte, räumte ihr Zimmer auf. Kamen Verwandte, hatte sie solange in der Ecke zu stehen, bis einer von ihnen sie zum Sitzen aufforderte. Sie hatte den Blick zu senken, wenn sie Tee und Gebäck reichte, auf Fragen knapp zu antworten, denn mehr wäre Geschwätzigkeit und ein Makel gewesen. In ihrem Dorf hatte sie von Kind auf gelernt: Ein älterer Mensch hat eine Bedeutung! Jahrzehnte hatte er mit der harten Erde um jedes Korn gerungen, der gelben Hitze standgehalten, geduldig auf einen Tropfen vom Himmel gewartet. Täglich den Ziegen neues Gestrüpp gesucht, den Kühen Heu gesammelt. Sonst wären sie verhungert. Unzählige Nächte hatte er zwischen blökenden Schafen gewacht. Aus der Wolle Decken zum Überwintern gewebt, unendliche Wintermonate in langen Gebeten mit heulenden Wölfen ausgeharrt. Der Respekt für das Alter war die Entschädigung für die Ausdauer seiner Jugend. Die Heranwachsenden wechselten die Straßenseite, um dem Alten nicht den Weg zu versperren, küßten in gebeugter Dienerhaltung die ausgestreckte Hand zum Gruß. Aßen an separaten Tischen. In manchen Gegenden saßen Alt und Jung sogar in getrennten Räumen. Wenn ein Mensch grau und kraftlos geworden war, hatte er das Recht sich auszuruhen, im Teehaus Tavla zu spielen oder daheim die Enkel zu behüten.

Nach über zwanzig Jahren in unbequemen Stühlen und flackerndem Neonlicht in der Änderungsschneiderei waren auch ihre Beine und Augen kraftlos geworden. Die Bewegungstherapien und

Sehkorrekturen konnten zwar die Gelenk- und Kopfschmerzen lindern, aber sie nicht mehr beheben. Sie hatten sich in Deutschland Waschmaschinen, Kühlschränke, Staubsauger, elektrische Küchengeräte, komplette Schlaf-, Wohn- und Eßzimmer kaufen können, aber als alter Mensch wollten sie hier nicht mehr leben. Hier hatten nur junge, gebildete, dynamische Menschen eine Bedeutung. Die Bilder aus den Altenheimen erschreckten sie. Sie wollte zurück. Von ihren Ersparnissen kaufte sie neue Gardinen, Fußmatten und Schonbezüge für die kleine Wohnung in Ankara. Häkelte Tischdecken, nähte Schürzen und Geschirrtücher.

Nachdem sie den ersehnten »Lebensabend« gemütlich eingerichtet, Nichten und Neffen die Hand zum Kuß gereicht – das alte Ritual galt immer noch – und zugesehen hatte, wie der Imam die Gläubigen zum Gebet versammelte, flog sie überraschend wieder ab. Die Genugtuung, in der alten Heimat aus dem Schattendasein einer unbedeutenden jungen Frau zur ergrauten Respektsperson aufgestiegen zu sein, hatte doch nicht für ein dauerhaftes Bleiben gereicht. Trotz aller Höflichkeit und Achtung, die ihr die Verwandten gezeigt hatten, schlich ein fremdes Gefühl zwischen ihnen herum. Drei Jahrzehnte improvisiertes Überleben der Zurückgebliebenen hier, das Nach-der-Stechuhr-

Funktionieren dort, hatte vieles, was einmal gemeinsam und selbstverständlich war, verändert.

Die Mutter verriegelte Fenster und Türen ihrer kleinen Wohnung in Ankara, ging noch einmal in Gedanken die schmale, steile Straße zur Moschee hinüber und verschwand in einem weißen Taxi. Das Photoalbum aus den frühen Tagen nahm sie mit. Zurück ließ sie überall in der Wohnung, in Augenhöhe gut sichtbar, die Bilder ihrer Töchter. Zwei große, hochformatige Portraits, die Jüngere mit Kamera und Pinsel in der Hand, im Bühnenkostüm die Ältere, hatte sie eingerahmt auf die Anrichte gestellt. Die Photos von der Schule, vor dem Tannenbaum, von Geburtstagen und vom Schwiegersohn hatte sie aufgehängt.

Zurück in Deutschland, legte sie das Album in die Schublade. Von einem Traum waren sechzig Quadratmeter Fluchtpunkt übriggeblieben. Erstmals nach langer Zeit gingen die Eltern wieder durch die asphaltierten Straßen der neonbeleuchteten Stadt. Die Nacht war heller als der Tag, die bunten Auslagen der Kaufhäuser lockten. Sie gingen vorbei an musizierenden Gauklern, an spitzen Stahlskulpturen, an Parkhäusern, Papierkörben, Blumenkästen und Betonwänden, die den Blick in alle Richtungen abschnitten. Vor dem Springbrunnen stehend, wischte der Vater sich mit einer ruckartigen Bewegung die Augen, drückte sich enger an seine Frau: »Wir müssen unserer Enkelin die lustigen Geschichten von Hacivat und Karagöz erzählen.« Die Mutter nickte: »Dem Ali auch. Ich koche ein Walnußhuhn«, und drückte das Taschentuch in der Faust. Die Kirchturmuhr schlug gerade zwölf, als sie in die letzte U-Bahn einstiegen.

9.57 Uhr. »Der Narkosearzt ist da!« Die holländische Hebamme strahlt die Schwangere an. Zwei weitere grüne Kittel mit Mütze und Mundschutz quietschen über das Linoleum in Richtung grüne Tür. Die Frau drückt die Augen zu. Sie will sie erst dann wieder öffnen, wenn ein winziges Krächzen sie ruft.

Zwei Wege sind gangbar / Zur Vorbereitung / Grundlegender Veränderungen. / Der eine Weg ist / Die Analyse der konkreten / Historischen Situation. / Der andere Weg ist / Die visionäre Formung / Tiefster persönlicher Erfahrung.

Peter Weiss

Vater und Mutter, es war richtig, Canset und ich danken Euch das Leben. / Helge Malchow, danke, ohne Dich gäb es das Buch nicht. / Alois Gallé und Ayşe Gallé, danke für Eure Liebe.

MARLO MORGAN

»Ein überwältigendes Buch.
Eine wunderbare Geschichte über die
mystische Reise einer Frau.«
Marianne Williamson

Marlo
Morgan
Traum-
fänger

GOLDMANN

43740

GOLDMANN

Renan Demirkan
Es wird Diamanten regnen vom Himmel

Roman

Ein kleiner Roman über die großen Dinge des Lebens von der Schauspielerin und Autorin Renan Demirkan. Die fast romantische Liebesgeschichte zwischen Rick und Rosa, die nichts miteinander zu tun haben und es trotzdem passieren lassen, mitten in ihrem hektischen Alltags- und Berufsleben voller nicht immer lustiger Probleme, in dem immer zu viel passiert und doch meist zu wenig.

VERLAG
KIEPENHEUER
&WITSCH